KB043963

인세인 2

데드 루프

저 • 카와시마 토이치로, 우오케리/모험기획국

TRPG CLUB

어서 오세요, 누구나 마음에 어둠을 끌어안는 공포의 극장에. 저자 카와시마 토이치로입니다.

이 책은 테이블 토크 RPG『멀티장르 호러 TRPG 인세인』의 속편에 해당합니다.

이 책의 앞부분에는 리플레이, 뒷부분에는 테이블 토크 RPG 의 규칙이 수록되어 있습니다.

리플레이란 실제로 테이블 토크 RPG를 플레이하는 상황을 읽을거리로 만든 것입니다.

이 리플레이는 소설가이자 모험기획국의 동료이기도 한 우오 케리 씨가 집필했습니다. 우오케리 씨와 멋진 여성 플레이어 여러분이 직접 꺄아 꺄아 비명을 지르며 무서워하는 모습, 캐릭터에 몰입하면서 괴사건의 수수께끼에 다가가는 모습이 담겨 있습니다. 이 파트는 1권을 읽지 않아도 내용을 이해할 수 있도록 했습니다. 그러므로 이 책을 읽은 뒤에 다시 1권을 읽으셔도 아무 문제 없습니다.

규칙 쪽에는 한층 무서운 신규 에너미나 새【광기】, 강력한 신규 어빌리티 등이 실려 있습니다.『인세인』으로「루프물」을 플레이하기 위한 새로운 설정도 적혀 있습니다. 단, 이 책만으로는『인세인』을 플레이할 수 없습니다. 이 책을 읽고「플레이해보고 싶다」고 생각하신 분은 부디 기본 규칙을 수록한 1권을 읽어주세요.

수수께끼와 공포, 광기와 괴이가 가득한 이야기의 등장인물이 될 수 있습니다!

　이 테이블 토크 RPG는 기구한 운명을 가진 주인공 봉마인이
되어 주변에서 일어나는 괴사건에 맞서는 게임입니다.
　다음과 같은 다양한 공포물을 즐길 수 있습니다.

　절망적인 좀비 해저드에서 살아남는 서바이벌 호러.
　인간의 내면의 어둠을 묘사하는 사이코 호러.
　흡혈귀나 늑대인간 같은 환상적인 괴물들이 도사린 고딕 호러.
　현대사회의 어둠이나 부조리에서 공포를 맛보는 모던 호러.
　인간이라는 존재의 가치나 희망을 쳐부수는 『크툴루 신화』
같은 코즈믹 호러.

　좀비, 원령, 크툴루, 살인마, 우주인……. 동서고금의 괴이가
등장하여 봉마인을 공포에 떨게 할 것입니다.
　또, 봉마인의 적은 괴이뿐만이 아닙니다. 그들은 괴이에 관여
하게 되면서 모두 【비밀】이나 【광기】 같은 마음속 어둠을 안고
있습니다. 봉마인의 또 다른 적은 바로 그들 자신인 셈입니다.
　『인세인』은 공포와 광기의 사이에서 흔들리는 인간들을 그리
는 게임입니다. 게임 마스터가 준비한 비장의 【비밀】을 둘러싼
사건의 막이 바로 지금 열리고 있습니다.

　어서 오세요. 공포의 극장에.
　무섭고도 감미로운 수수께끼가 여러분을 기다리고 있습니다!

목차

커버 일러스트 ● 아오키 쿠니오

본문 일러스트 ● coco

게임 말 일러스트 ● 오치아이 나고미(모험기획국)

지도 ● 스자키 신페이 (모험기획국)

이 책은 픽션입니다.

등장하는 인물, 단체, 지명과 실제 인물, 단체, 지명은 일절 관계가 없습니다. 또, 일부 차별적 표현이나 불쾌감을 유발하는 표현을 쓸 때가 있습니다. 이는 소재로 사용된 다양한 시대적, 문화적 배경의 재현이 목적이며, 차별 등을 조장할 의도는 일절 없습니다.

리플레이 파트

「네 명의 손님」

The four vistors

■ 캐릭터 제작

1. 죽어도 문제없어   ● ● ● ● ● ● ● ●

그날도 이런 날이었다.

대낮의 주택가를 걸으며, 나는 기묘한 기시감을 느꼈다.

좁은 길이 교차하며 바둑판 구조를 이룬 집들.

걸어도 걸어도 똑같은 광경을 보고 있자면, 금새 내가 지금 어디에 있는지 알 수 없게 된다.

마치 그날처럼.

──그날?

그날이라니…… 언제를 말하는 거지?

의문이 뇌리를 스쳤을 때, 주택가 구석에서 목적지인 건물이 홀연히 모습을 드러냈다.

모험기획국의 사무소다.

어두운 실내에 들어가 문을 열자 테이블을 둘러싼 네 명의 여성이 나를 맞이했다.

그날── 그렇다, 『인세인』 리플레이 녹음 때처럼.

우오케리   오래 기다리셨습니다. 『인세인2 데드루프』의 세션을 시작합니다!

네 명의 여자→플레이어 여러분   와! 2권이다! 등 등등, 빠밤~ **(악기 소리)**

악기 소리
어디에서 들리는 거야, 이거?

요란한 반주와 함께 축하해주는 모험기획국의 여성 플레이어 네 명──

맛있는 것을 먹으면 춤을 추는 그래픽 디자이너, **에누에누**.

호러 시나리오를 할 때마다 고생만 하기 일쑤인 모델러, **코비토 씨**.

펭귄과 보컬로이드가 있으면 어디든지 가는 누님, **구게펜**.

눈이 커다란 일러스트레이터, **파선생**.

그렇다. 여기에 있는 사람들은 『멀티장르 호러 TRPG 인세인』에 수록된 리플레이, 「산의 공장」을 플레이했을 때와 같은 멤버다.

에누에누　멤버가 같은 건…… 반갑긴 한데 말이야.

우오케리　네.

에누에누　지난번의——「산의 공장」 때랑 같은 캐릭터여도 돼?

코비토　아, 그건 나도 궁금해. 「산의 공장」 때는 그게…… **그렇게** 되어버렸잖아?

> **그렇게**
> 무슨 일이 있었는지는 「산의 공장」을 읽자!

네 사람이 얼굴을 마주 보고 미묘한 표정을 짓는다.

이 네 명의 플레이어는 지난 플레이의 결과, 같은 캐릭터를 그대로 사용하기에는 다소 어려운 결말을 맞이했기 때문이다(**에두른 설명**).

> **에두른 설명**
> 스포일러를 피하려는 뜻깊은 배려.

파선생　정말로 지난번이랑 동일인물을 써도 돼?

우오케리　동일인물이라고는 해도 **지난 회와는 다른 여러분**입니다.

구게펜	응? 무슨 소리야?
우오케리	지난 회와는 다른 평행세계의 여러분이라고 생각하시면 돼요.
구게펜	다른 세계선인가…….
파선생	지난번 사건은 일어나지 않은 거로 생각하면 되는 거야?
에누에누	지난 회랑 평행 세계일 수도 있고, 그보다 더 나중일 수도 있지만, 아무튼 다른 세계?
우오케리	그렇죠. 정확히는 「산의 공장」처럼 양조장에 놀러 갔다가 아무 일도 없이 돌아왔습니다.
에누에누	아아.
파선생	**다행이다, 가토 군. 살았어!**
구게펜	잘됐네.

다행이다, 가토 군. 살았어!
그리고 더 지독하게 당할 권리를 Get.

「산의 공장」은 가상의 지방 도시 「아기타 시」를 무대로 하는 리플레이다. 이번 리플레이와 같은 구성의 캐릭터 네 명이 교외의 양조장에 놀러 갔다가 기괴한 사건에 휘말려 드는 것이 대략적인 줄거리이다.

NPC인 가토 군
PC들의 친구. 술 안 마시고, 운전할 줄 아는 좋은 녀석이었지.

그 사건에서 **NPC인 가토 군** 제법 신세가 처참해졌었다. 플레이어들이 입을 모아 가토 군이 살았어, 잘됐네 라고 말한 것은 그런 이유다. 그렇지만 이번에는 「산의 공장」과는 다른 평행세계, 다른 루프의 이야기이므로 지난 회의 이야기를 몰라도 문제는 없다.

에누에누 평행세계라도 우리 관계는 바꿀 필요 없는거지?

우오케리 일단 같아도 됩니다. **바꿔도 되지만**.

파선생 일부러 바꾸는 것도 큰일이고, 관계 같은 건 같다고 해도 되지않을까?

코비토 과연. 평행세계니까 같은 캐릭터로 몇 번이든 플레이할 수 있다는 거네!

에누에누 호러라도 간단히 캠페인을 플레이할 수 있는 설정인걸.

파선생 루프니까 **죽어도 문제없어!**

구게펜 죽는 건 좀…….(웃음)

우오케리 그럼 바로 여러분의 핸드아웃을 나눠 드릴게요.

  네 사람에게 【사명】과 【비밀】이 적힌 핸드아웃이 분배된다.
  뒷면의 【비밀】을 본 플레이어들의 입에서 경악에 찬 외침이 흘러나온다.

파선생 이, 이건……. (웃기 시작한다)

코비토 뭣이!?

바꿔도 되지만
모처럼 평행세계니까 직업이나 성격 같은 걸 확 바꿔버려도 재미있을 것이다.

죽어도 문제없어!
다음 평행세계의 당신은 더 잘해주겠지요.

9

구게펜	뭔 일이야, 이거!?
에누에누	다짜고짜……!
구게펜	굉장한 핸드아웃이 왔는데?
우오케리	네. 그걸 기반으로 캐릭터를 만들어주세요. 지난 회와 같아도 되고, 처음부터 새로 만들어도 됩니다. 지난 회의 시나리오에서 **전원에게 【공적점】 7점을 받았으니까** 써도 됩니다.
일동	오, 오오!

그렇게 네 명의 캐릭터가 완성됐다.

전원에게 【공적점】 7점을 받았으니까
이것이 게임적인 조치일 뿐인지, 「더 넓은 시점에서 보면 시간은 루프하지 않았기 때문」인지는 불명.

2. 우리, 친구지? ● ● ● ● ● ● ● ● ●

용감한 꼬마 핸디카메라
오사카 미노리(逢坂 実)

성별: 여성
연령: 20
직업: 대학교 2학년(심리학과)
생명력: 6
이성치: 6
호기심: 지각
공포심: 《혼돈》
특기
《웃음》《친애》《추적》
《전자기기》《카메라》《의학》
어빌리티
【기본공격】【전장이동】
【짐작】【정신분석】
아이템: 「진통제」「진통제」
「부적」「부적」

에누에누→미노리 예이, 예이! **오사카 미노리**야. 아기타 대학 2학년. 영화연구회 소속인데 키가 작아서 배우로 무대에 서기보다는 촬영만 하고 있어!

오사카 미노리
미노루가 아니다. 미노리다.

코비토 항상 **핸디 카메라**를 들고 다녔지.

핸디 카메라
항상 촬영 상태. 그래서 미노리의 장면은 거의 다 핸디 카메라로 찍은 주관적 시점 장면(point of view shot)이다.

미노리 내 이번 【사명】은…… 짜잔! 「낯선 방문자가 당신에게 '**굉장한 심령사진**을 찍었다고 들었는데 그걸 넘겨주기 바란다'라고 요구했다. 하지만 당신은 그런 걸 찍은 기억이 전혀 없다. 당신의 【사명】은 자신이 찍었다는 사진이 존재하는지 확인하는 것이다.」

굉장한 심령사진
기합을 넣으면 이 문자만 묘하게 들쑥날쑥하고 굵은 폰트로 보이지 않는 것도 아니다. 그 정도로 굉장하다.

구게펜 무서워.(웃음) 벌써 광기가 느껴져.

미노리 그런 사진, 모르는데? 확실히 평소에 동영상은 찍지만, **스틸샷**은 거의 안 찍으니까. 뭐야, 심령사진이라니?

스틸샷
동영상이 아닌 정지화(靜止畵) 사진.

파선생 심령영상?

미노리 **알아보시겠는지요**…… 가 아니라, 그런 거 안 찍었다니까!

알아보시겠는지요……
장단을 맞춰줘도 하필……. (역주 : 원문은 おわかりいただけただろうかで, 일본에서 심령 비디오 방송의 나레이션에 쓰이는 일종의 정석적인 표현. 실제 사용 예시는 바로 다음 주석 참조.)

코비토 뭐가 뭔지.

우오케리→GM 어떤 상황에서 그런 일이 생겼는지는 도입 페이즈에서 설명합니다.

미노리 어쩌면 타마의 아틀리에를 찍었을 때 찍힌 걸지도 모르겠는데?

있어도 별로 신경 안 쓰겠지만
그렇게 말하며 밝게 웃는 그녀의 뒤, 문의 틈새에 주목해주세요. 알아보시겠는지요……?

코비토　있어도 별로 신경 안 쓰겠지만.

미노리　으익……

상식적으로 생각해서 카페 점원
시노하라 마아야(篠原 麻綾)

성별: 여성
연령: 21
직업: 카페 점원
생명력: 6
이성치: 6
호기심: 정서
공포심:《종말》
특기
《연심》《인내》《소리》《정리》
《탈것》《교양》《민속학》
어빌리티
【기본공격】【전장이동】
【위험감지】【요령】
아이템:「진통제」「부적」

구게펜→마아야　시노하라 마아야야. 대학 근처의 카페「마린」의 점원을 하고 있어. 뭐, 엄마 가게지만. **럭셔리 카페**를 목표로 노력 중이야.

미노리　항상 **모임 장소**를 제공해줘서 고마워, 마아야 언니.

마아야　그러면 내【사명】읽어도 될까?

파선생　응.

마아야　「당신의 카페에 온 낯선 방문자가」

럭셔리 카페
언뜻 보기에는 우아하고 세련된 카페라도 물밑에서는 원가 계산과 인건비로 버티고 있다.

모임 장소
럭셔리 카페는 영화연구부의 미팅 장소나 친구끼리 수다를 떨 장소로 편리하게 활용되고 있다.

미노리	응.
마아야	「**죽었다**」
일동	에에에에엑!
미노리	뭐야, 그거!
파선생	서스펜스!?
마아야	내 【사명】은 죽은 남자의 신원을 알아내는 거야.
파선생	호오.
마아야	너무하지 않아!? 럭셔리 카페가 멀어지잖아?
미노리	럭셔리 카페에 이렇게, **노란색과 검은색의 테이프**가…….
파선생	토요일 와이드 극장이다!
마아야	아니아니아니. (도리도리)
코비토	찻집의 풍경을 생각해보면 **후나코시 에이이치로**가 나오는 계통의 금요일드라마쯤이 아닐까.
파선생	『찻집 탐정 시노하라 마아야의 사건부』인가? (웃음)
마아야	아니야, 카페란 말이야! (뚜웅)
미노리	마아야 언니가·그렇게 **주장할 뿐**······ 우물우물.

노란색과 검은색의 테이프
경찰이 사건 현장을 봉쇄하기 위해 사용하는 테이프. 문이나 창문을 가로지르는 형태로 붙이며, 불량한 족속들에게 「여기를 어지럽힐 생각이라면 우리와 한판 뜰 각오로 와라」라는 압박감을 준다.

후나코시 에이이치로 (船越英一郎)
「2시간 드라마의 제왕」, 「서스펜스 드라마의 제왕」이라는 별명을 지닌 배우. 절벽에 범인을 몰아넣은 모습이 종종 목격된다.

주장할 뿐
지금은 아직 시골의 낡은 찻집이지만, 마아야의 뇌리에는 이런저런 우아한 비전이 소용돌이치고 있다. 그것을 실현할 때까지 찻집 탐정 시노하라 마아야의 싸움은 계속된다.

마아야 뭔데! (번뜩)

미노리 옛날부터 있었던 가게지? 어머니 때부터.

엄마 가게
자기 집 1층.

마아야 뭐, 아직은 **엄마 가게**이긴 한데.

미노리 현관 벨이 딸랑딸랑 울리지?

마아야 울리지!

미노리 럭셔리 카페?

마아야 럭셔리 카페잖아! 벨 달려있어! 나무문이야! 럭셔리 카페잖아!

일동 으, 응. (웃음)

마아야 아무튼 영업을 못 하는 건 곤란하잖아. 너희도 곤란할 거 아니냐고!

미노리 곤란하지. 항상 신세를 지고 있거니와…… 모임 장소로도 촬영 장소로도 못 쓰게 될 테니까

코비토 점심밥도 **못 얻어먹고**.

마아야 돈 내고 먹어!

검색 비추천 화가
우시오 타마코(潮 たまこ)

성별: 여성
연령: 20
직업: 대학교 2학년(미술학과)
생명력: 6
이성치: 5
호기심: 지각
공포심:《소각》
특기
《걱정》《풍경》《예술》
《분해》《인류학》《암흑》
어빌리티
【기본공격】【전장이동】
【트릭】【보복】
아이템:「진통제」「무기」
「부적」「부적」

코비토→타마코 미노리랑 같은 아기타 대학 2학년, 미술학과의 천재, 우시오 타마코. **트라우마 급의 무서운 그림**을 그리는 것으로 **인터넷에서 유명해**. 일본화 전공이지만 조형, 조각, 뭐든지 해.

마아야	【사명】은 뭐야?
타마코	그게……. 최근 뭔가 굉장히 멋진 그림을 그린 것 같은데, 다행인지 불행인지 스스로 덧칠을 해버렸어.
미노리	뭐!?
타마코	게다가 왜 덧칠을 했는지 기억이 안

트라우마 급의 무서운 그림
「검색하면 안 된다」라는 검색어로 이미지 검색을 하면 대체로 어떤 느낌인지 감이 오실 겁니다.

인터넷에서 유명
결코 명예로운 표현이 아니다. 그보다 오히려 매도에 쓸 법한 표현이다.

나. 아래에 그린 것이 뭔지도 몰라.

마아야 취했던 거 아니야?

파선생 뭔가 봐 버린 건가?

타마코 몰라. 왜 이런 짓을 했는지 모르겠어!

미노리 유화?

타마코 유화 아니야. 일본화야.

마아야 일본화 전공이니까.

미노리 일본화 전공이라도 다른 수업에서 유채화 같은 거 그릴 텐데?

타마코 유채화는 가능성 있을 수도 있겠네.

최고걸작
드디어 최고걸작이 완성됐다! 그렇게 이름을 붙여서 블로그에 최신작을 업로드한 트라우마계 화가가 담당 기관에게 구속당하고, 블로그의 데이터가 업로드된 서버가 데이터 센터째로 파괴될 때까지 3천 명이 넘는 관람자가 죽거나 중증의 뇌 손상을 입었다. 작품을 관람한 유저 중 일부가 자신의 혈액으로 그린 「최고걸작」의 모조품을 업로드했으므로 피해자의 수는 지금도 늘고 있다.

미노리 유화라면 수복할 수 있을지도? 아래쪽의 그림이 코팅되었다면 깨끗하게 벗겨져.

타마코 아, 그럼 유채화! 유채화로 하자!

마아야 부활시킬 생각이야……?

타마코 내 **최고걸작**일지도 모르잖아!

미노리 빨리 수복해서 사진 찍게 해줘.

파선생 X레이를 찍으면 **아래에 뭐가 그려져 있는지 알 수 있는데.**

아래에 뭐가 그려져 있는지 알 수 있는데
유럽의 오래된 유화에서 뭔가가 덧칠된 그림은 알몸 위에 옷을 덧그린 것인 경우가 많다. 오히려 야하군!

마아야 그거, 색은 모르잖아. (웃음)

타마코 그러느니 그냥 떠올리는 게 낫지. 한 번 더 그리면 되니까.

마아야	한 번 더 그릴 수 있어?
타마코	그릴 수 있지. 난 천재니까.
마아야	와아, 당당하네.

작열의 전장에서 돌아온 남자
사코미즈 류노스케(迫水 龍之介)

성별: 남성
연령: 29
직업: 고고학과 조수 / 전직 군인
생명력: 6
이성치: 5
호기심: 지각
공포심:《고문》
특기
《파괴》《사격》《소리》
《그늘》《고고학》《죽음》
어빌리티
【기본공격】【전장이동】
【강타】【위험감지】
아 이 템: 「진통제」「무기」
「부적」「부적」

파선생→류노스케 아기타 대학 고고학 교실에서 조수를 맡고 있는 사코미즈 류노스케다. 해외 협력대에서 분쟁에 휘말린 경험이 있고, 외인부대에서 배운 사바테라는 프랑스 격투기를 사용하지.

마아야	역시 혼자 장르가 달라. (웃음)
미노리	지난 회의 류 오빠는 **엄~청 믿음직했지**.
타마코	역시 전투 기능이 있는 친구가 있어야

엄~청 믿음직했지
효과적으로 폭력을 사용했다.

		한다니까. (웃음)
	류노스케	핸드아웃 읽을게. 「당신은 낯선 방문자에게서 저주의 원인을 밝혀내지 못하면 친구 셋과 함께 죽는다는 선고를 받았다.」
	마아야	헤!? 뭐?
	류노스케	「당신의 【사명】은 이 저주가 실재하는지 확인하는 것이다.」 ……**우리, 친구지?** (싱긋)
	일동	에에에에에엑!?
	류노스케	그렇게 됐으니 친구 여러분…….
	마아야	(말을 가로막으며) 류 오빠랑은 **이름만 아는 사이!**
	미노리	(즉시) 류 오빠는 **그냥 아는 선배**야!
	타마코	(기운 넘치게) 안녕하십까! **사코미즈 선배!**
	GM	……다들 이렇게 말씀하고 계십니다만?
	류노스케	괜찮아. 내 쪽에서 **친구라고 생각하기만 하면.** (웃는 얼굴로)
	일동	우와아아아아! (비명)

우리, 친구지?
인간관계에 문제가 없을 때는 입 밖에 내지 않는 대사.

친구라고 생각하기만 하면
여기에서 문제가 되는 것은 류노스케의 시점뿐이므로 우정이 일방통행이라도 친구 관계는 성립해서 셋 모두 죽는다.

■ 도입 페이즈

1. 굉장한 심령사진 ● ● ● ● ● ● ● ● ●

GM   그런 느낌으로 시작합시다. 잘 부탁합니다!

일동   잘 부탁합니다!

GM   여러분은 「산의 공장」의 도입부와 마찬가지로 양조장에 가서…….

타마코   꿀꺽.

GM   ……지역 특산 맥주를 마시고 놀다가, 사고 없이 무사히 돌아왔습니다.

마아야   휴우.

GM   **차를 운전해준** 가토 군도 무사합니다. 다행이네요.

류노스케   잘됐네, 잘됐어.

미노리   가토 군, 운전 잘하더라. 같이 또 드라이브 가자.

마아야   그 양조장은 또 가보고 싶어.

미노리   맛있었지, 정말.

GM   그런 느낌으로 즐거운 나날을 보내고 있습니다. 그러던 어느 날, 여러분은 각각 이상한 방문객을 맞이합니다. 우선 오사카 미노리 양.

차를 운전해준
가토 군은 술을 마시지 않아서 괜찮다.

19

미노리	예입.
GM	당신의 자택……. 대학 기숙사에 모르는 남자가 찾아옵니다.
미노리	몇 살 정도로 보여?
GM	40대 정도일까요.
류노스케	기숙사에 **들여보내 주긴 하나?** (웃음)
미노리	방문자 배지 달고 있지 않아? 이름은? 적혀 있어?
GM	안 적혀 있네요.
미노리	처음 보는 40대 정도의 남성이라고?
GM	기숙사라서 부외자는 못 들어올 텐데, 왠지 들어와서 당신의 방문을 두드립니다. 열면 모르는 남자가 서 있습니다.
미노리	일본인이야?
GM	일본인입니다.
미노리	**머리 벗어졌어?**
마아야	머리는 왜!?
타마코	그게 중요해?
류노스케	어떻게 생겼는지 물어보고 싶다는 거겠지.
마아야	어떻게 생겼어? 라고 안 물어보고 왜 갑자기 그런 말을 해. (웃음)

들여보내 주긴 하나?
대학교 여자 기숙사에 면식이 없는 40대 남성이 갑자기 찾아간다. 직접 해보면 알겠지만 이건 꽤 어렵다.

머리 벗어졌어?
상대에 대한 배려를 좀…….

미노리	머리카락은 있는지, 키는 어느 정도인지, 눈은 무슨 색인지, **위에서부터 차례대로** 물어볼 생각이었다고.
GM	외견은…… 양복을 입었고, 딱히 특별한 곳은 없다는 느낌입니다.
미노리	양복…… 보통 키에 평범한 덩치?
GM	네.
타마코	특별한 점이 없다는 게 오히려 불안하네.
미노리	살~짝 문을 열어. 아마도 도어 체인은 걸려있지 않을 테니까 사~알짝 열고……「무슨 일이신가요?」
GM	「당신, 굉장한 심령사진을 찍었다지요?」
미노리	하?
GM	「그 사진을 넘겨주셨으면 합니다.」
미노리	……네?

위에서부터 차례대로
이 방식으로는 상대의 발이 지면에서 몇 cm 떠 있는 상황이라도 알아차리는 것이 상당히 늦어지게 된다. 가장 눈에 띄는 것이 무엇인지를 물어보는 것이 좋지 않을까?

「……뭐라고요?」

「사진, 보여주세요. 그걸 찍은 건 당신이죠?」

미노리의 의아한 표정을 알아차리지 못한 건지, 남자는 기묘하게 감정이 결여된 목소리로 다시 말했다.

「굉장한 사진이지요? 다 알고 왔어요. 굉장히 기분 나쁜 사진이지요?」

「어…… 잠깐만요. 무슨 말씀이세요?」

「들었습니다. 당신이 굉장한 사진을 가지고 있다고요. 굉장한 심령사진이라는 것도요.」

그렇게 말하는 남자의 눈은 뭔가 다른 것을 보고 있는 것처럼 공허했다.

「사진을 넘겨주지 않으시겠습니까? 그건, 매우 위험한 물건입니다.」

심령사진가
「심령사진」은 종종 있고, 「사진가」도 실제로 있는 직업이지만, 「심령사진가」라는 직업이 성립될지는 의문이 남는다.

미노리	에이, 내가 무슨 **심령사진가**도 아니고……. 「누구한테 그런 이야기를 들으셨어요?」
GM	「가토 씨에게 들었습니다.」
류노스케	어?
미노리	가토 씨?

또 그 녀석이냐
이런 식으로 어떤 평행세계라도 공통으로 등장하는 단골 NPC를 만들어두면 여러모로 편리하다.

타마코	**또 그 녀석이냐.**
GM	「당신이 그걸 찍었다던데요.」
미노리	가토 씨라는 건 어떤 가토 씨?
GM	「당신의 친구인 가토 씨입니다. 아시지요?」
미노리	남성, 여성?
GM	남성이네요.

나이는?
머리 벗어졌어요?

미노리	**나이는?**
GM	(웃음)

미노리	즉, 학생인 가토 군? 양조장에 데려다 준, 내 친구?
류노스케	가토 어쩌고 군.
GM	그래요. 가토 시게하루 군입니다.「당신이 굉장한 심령사진을 찍었다는 이야기를 가토 씨에게 들었습니다. 넘겨주세요.」
마아야	가토…… 입단속 좀 해야겠네.
미노리	그런 사진 안 찍었는데……? 열심히 떠올려보자. 취해서 그런 걸 가토 군에게 말한 기억이 있어?
GM	그런 기억은 전혀 없네요. 찍은 기억도 없고, 가토 군에게 말한 기억도 없어요.
미노리	「착각하신 거 아니에요?」
GM	「넘겨주실 수 없으신가요?」
미노리	아니, 아니. 착각한 거 아닌가요? 내가 아니라…….
GM	그렇게 남자와 이야기를 하다 보면 알 수 있는데, 이 사람 좀 이상하네요. 당신의 말이 잘 통하지 않는 것 같아요.
류노스케	**눈이 빙글빙글 돌고 있는 느낌**이로군.
GM	맞아요. 남자는 목소리를 낮춰 말합니다.「그건, 위험합니다.」

눈이 빙글빙글 돌고 있는 느낌
만화적 표현. 실제로는 결코 시선을 마주치지 않거나, 반대로 전혀 시선을 돌리지 반대로 뚫어져라 응시하는 경우가 많다. 항상 눈을 굴리고 있으면 멀미가 난다.

미노리	예?
GM	「사진을 넘겨주시지 않으면 정말로 위험한 일이 벌어져요.」
미노리	위험한 일?「죄송한데요, 그게 어떤 사진인가요?」
GM	「굉장한 심령사진입니다.」
미노리	「거기에 뭐가 찍혀있는데요?」
GM	「그야 물론 그것이지요.」
미노리	그것……?
GM	「넘겨주지 않으시겠습니까?」
미노리	「넘기고 자시고, 그런 거 없는데요.」
GM	「없다고!?」 남자는 충격을 받은 모습으로 중얼중얼 혼잣말을 하기 시작합니다. 「위험해, 위험해. 정말인가? 이럴 수가. 어디에 있는 거지?」
미노리	저, 저기……?
GM	「어쩔 수 없군. 이 아이에겐 미안하지만, 어쩔 수 없어…….」라고 말하면서 남자는 당신에게서 등을 돌려 떠나려고 합니다.
미노리	어라? 잠깐잠깐!「성함을 여쭤봐도 될까요?」
GM	들리지도 않는 것 같아요. 위험해, 위

	험해…… 라고 중얼거리면서 돌아갑니다.	
미노리	자, 잠깐만. **쾅!** 하고 문을 열고, 카메라로 동영상 찍어두자.	
GM	네. 초점이 살짝 흔들리긴 했습니다만, 기숙사의 어두운 복도를 떠나는 신사복 차림의 남자가 찍힌 동영상이 남습니다.	
류노스케	또 흔들렸어.	
미노리	얼굴은 못 찍었나!	
GM	그런 종류의 도입 장면이거든요.	
마아야	뭘까? **봄에 많이 나타나는 부류?**	
GM	잘 모르겠지만, 굉장히 안 좋은 느낌을 받았어요. 그런고로 오사카 양의 【사명】입니다.	

쾅
충격으로 도어 체인이 끊어졌다.

봄에 많이 나타나는 부류
이상한 사람, 수상한 사람, 정신병자를 완곡하게 표현한 것. 정취가 있는 표현이다.

● PC① (오사카 미노리)

【사명】 낯선 방문자가 당신에게 '굉장한 심령사진을 찍었다고 들었는데, 넘겨주기 바란다'라고 요구했다. 하지만 당신은 그런 걸 찍은 기억이 없다.

당신의 【사명】은 자신이 찍었다는 사진이 **존재하는지 확인**하는 것이다.

미노리	으~음. 잘 모르겠네. 우선 동영상 데이터를 저장할게.

존재하는지 확인
우리 탐험대는 주위에 재앙을 가져온다는 오사카 미노리의 유작이 정말로 존재하는지 확인하기 위해서 현지에 왔다. 기구한 운명으로 인해 중앙아프리카의 모국에 흘러 들어간 그 테이프는 현지에서는 일종의 주술병기로 취급되고 있는 모양이다. 테이프의 주인은 호화로운 콜로니얼 양식의 저택 앞에서 우리를 맞이했다. 손에는 총. 발밑에는 개. 게다가 브라운관 TV를 뒤집어쓴 건장한 남자들이 적어도 십수 명. 대모험의 예감에 우리는 몸을 떨었다.

25

2. 스르륵, 털썩　●●●●●●●●

GM	그럼 마아야 양. 어느 날…… 당신의 카페에서요.
마아야	벌써 무서운데.
일동	(왠지 웃기 시작한다)
마아야	왜 웃어?
일동	(웃음)
마아야	왜 웃냐니까?
류노스케	갑자기 서스펜스물이 되어서. (웃음)
마아야	아니거든!
미노리	**정신병자** 다음은 **살인현장**이라니, 이건 좀…….
GM	어느 날, 당신의 카페에 낯선 남성 손님이 왔습니다.
마아야	**딸랑딸랑딸랑딸랑~**「어서 오세요!」
GM	파르페 같은 걸 주문합니다만…….
마아야	「**후르츠 파르페** 주문 들어왔습니다!」
GM	네. 그 시점까지는 딱히 신경 쓰이지 않는 평범한 손님이었는데…… 그 손님이 돌아갈 생각을 안 해요.
마아야	곤란한데.

정신병자
완곡한 표현은 봄 안개처럼 온데간데 없이 사라지고, 보기 흉한 것만 남았다.

살인현장
어라? 지금 당신, 살인이라고 했나요? 이상하네요? 나는 그냥 「죽었다」라고만 말했던 것 같은데요?

딸랑딸랑딸랑딸랑~
도어 벨이 울리는 소리. 럭셔리하다.

후르츠 파르페
찻집에서 나오는 정통적인 메뉴. 시리얼로 양을 속이는 짓은 하지 않는다.

| GM | 그 손님만 계~속 구석진 자리에서 다음은 이거, 다음은 이걸 주세요…… 라며 **디저트를 계속 주문하네요.** |

디저트를 계속 주문하네요
리뷰어일 가능성도 있으므로 함부로 대할 수 없었다고 한다.

| 마아야 | 「**파이** 추가요!」……슬슬 문 닫을 시간인데. 카운터의 엄마한테 슬그머니 「저 사람 아직도 있는데?」라고 눈빛으로 호소할래요. |

파이
반죽부터 직접 만든 블루베리 파이. 아기타 시내에서 채집한 신선한 블루베리를 쓴다.

| GM | 창밖은 이미 해가 저물어 깜깜합니다. 하지만 그 사람은 계속 디저트를 먹고 있습니다. 그리고 마아야 양이 파이 추가요! 라고 말하고 손님에게서 등을 돌렸을 때, 그 남자가 나직이…… |

——몇 시간이나 앉아 있을 생각이야?

마아야는 마음이 진정되지 않아서 시계로 눈길을 돌렸다.

묘한 손님이었다. 혼자 와서 계속 디저트만을 주문하고 있다.

그동안 책을 읽는 것도 아니다. 스마트폰을 쳐다보지도 않는다.

종종 생각났다는 듯이 추가 주문을 하고는 담담히 먹는다. 그것뿐이다.

설명할 수 없는 찝찝함을 느끼며 마아야는 그 손님에게서 등을 돌렸다.

그때, 뒤에서 목소리가 들렸다.

「……정말로 그것을 넘겨주실 수 없으신가요?」

미노리	어라?
GM	어? 하고 뒤를 돌아봤는데, 남자가 테이블에 엎어져서 움직이지를 않습니다.
마아야	어? 잠깐, 손님? 손님!
GM	**스르륵, 털썩**.
마아야	와아아아아!
GM	**삐~뽀~ 삐~뽀~** 「찻집 마린」의 앞에 적색등을 돌리는 순찰차와 구급차가…….
류노스케	가게 입장에서는 큰일인데.
미노리	이거 조사받는 거 아니야?
마아야	받겠지.
미노리	누, 눈앞에서 죽을 거라고는 생각 못했어.
GM	이날은 조사를 받느라 밤늦게까지 돌아가지 못하겠지요.
마아야	「오래 앉아 있는 손님은 드물지 않아요. 학생들도 자주 그러고. 하지만 저렇게 계속 주문만 하는 건 좀 이상하다고 생각했는데——」
GM	간신히 사건성은 없는 것 같다고 이해해줬습니다. 돌려보내 주네요.
타마코	심장마비나 심근경색일까?

스르륵, 털썩
상반신이 테이블에서 미끄러져 떨어지면서 전신이 바닥에 쓰러졌다.

삐~뽀~ 삐~뽀~
PEOPLE! PEOPLE! 통행인들의 주의를 촉구하며 구급차는 달린다.

미노리	마아야 언니는 가게에서 지내는 정도가 아니라, 가게 자체가 자기 집 1층인데.
타마코	최악이다. 자택에서 사람이 죽은 거잖아?
GM	그런 도입 장면이에요.
마아야	「이야. 욕봤네, 엄마.」
GM	(모친이 되어서)「**웬 민폐람.**」
타마코	민폐. (웃음)
마아야	아니, 정말로 그렇잖아. **이런 곳**이니까 순식간에 소문이 퍼질 테고.
미노리	분명히 다른 손님도 있었겠지.
GM	그래도 문 닫을 시간이었으니까 다른 손님은 없었을 수도 있지요.
마아야	파이 먹고 안 돌아갔으면 문 닫는다고 말하려고 했어.
GM	그런고로 당신의 【사명】은…….

이런 곳
시골.

● PC② (시노하라 마아야)

【사명】 당신의 카페에 온 낯선 방문자가 죽었다. 당신의 【사명】은 죽은 남자의 신원을 알아내는 것이다.

타마코	와, 아직도 신원불명이야?
GM	그러네요.
미노리	하룻밤이 지났는데 아직도 안 밝혀졌어?

GM	네. 어머니와 이야기하다가, 어디 사는 누가 죽었는지도 몰라서야 기분 나쁘니 누구인지 알 수 있다면 좋겠다는 흐름이 되었습니다.
미노리	본 적도 없는 사람이었지?
GM	적어도 카페에 온 적은 없어요.
마아야	못 해 먹겠어. 럭셔리 카페의 꿈이 또 멀어졌잖아.
타마코	아예 괴담 카페로 바꿔보면?
마아야	우아하지 않아…….
미노리	**럭셔리 괴담 카페**로 하자. (제안)
류노스케	뭐야, 그게. (웃음)
마아야	아니, 그런 거 말고. 좀 더 평범하게 데이트 장소에 쓸 수 있을 만한…….
타마코	있어! 규슈 쪽에 말이지, 머리 박제를 장식해둔 찻집이!
미노리	그런 걸 노리고 오는 커플들 있을걸.
마아야	그런 커플 필요 없어!
미노리	「아기타 시에 말이야. 사람이 죽은 카페가 있다는데, 가보고 싶어!」
마아야	가겠니? 갈 리가 없잖아!
GM	**봄에 흔히 보이는 타입의 손님**이 많아질

럭셔리 괴담 카페
보사노바풍으로 어레인지한 이나가와 준지의 괴담이 점내 BGM이었다.

30

	것 같네요.
마아야	아까 그 손님도 딱 그런 타입이던 데…….
타마코	내가 그런 사람들을 좀 **자주 만나지**. (먼 산)

3. 덧칠된 물감 아래에　●●●●●●●●

GM	그럼 다음, 타마코 양의 장면입니다.
타마코	응.
GM	타마코 양은 자기 아틀리에에서 그림을 그리는 데 집중하고 있습니다.
타마코	<u>으으으음.</u>(**집중음**)
GM	그러다가 문득, 모르는 여자가 뒤에서 그림을 엿보고 있습니다.
타마코	……에에에엑!?
마아야	무셔!
류노스케	무서운데.
타마코	새, 생각했던 것보다, 다이내믹한 도입이다. (떨리는 목소리)
미노리	(웃음)
GM	당연히 깜짝 놀라서 뒤를 돌아보니, 그 여자는 눈에 흰자위가 없어요. **완전히 새까맣습니다.**

자주 만나지
여성의 이야기를 들어보면, 봄에 자주 보게 되는 타입의 인간(남자)과 만날 확률이 남성보다 훨씬 높다는 점에 놀라게 돼. 그런 이야기를 듣다 보면 남성 따위 모조리 죽어서 없어지는 게 낫지 않을까 하는 기분이 강해지지. 알아듣겠어? 너한테 이런 짓을 하는 건 딱히 원한이 있기 때문이 아니야. 네가 남성이라는 게 죄인 거지. 이해해주겠지? 나는 남성을 멸절해야만 해. 한 사람도 남기지 않고 모두. 그게 내 사명이야. 그럼 계속해볼까.

타마코	꺄아아아! (비명)

고개를 돌려 어깨너머를 본 타마코는 굳어버렸다.
힉, 하고 목이 울린다. 비명을 지르지도 못했다.
뺨이 닿을 것만 같은 거리에, 여자의 얼굴이 있었다.
하얀 원피스 차림에 머리가 길고 덩치가 큰 여자.
처음 보는 여자였다.
타마코를 바라보는 그 눈에는…… 흰자위가 없다.
덧칠된 것처럼 새까맣다.
여자가 손을 들어 올리더니, 긴 손가락이 타마코의 앞에 있는 캔버스를 가리켰다──.

GM	여자는 스윽 손가락을 뻗어 캔버스를 가리킵니다. 그러자 분명히 뭔가를 그렸던 캔버스가 새까맣게 덧칠이 되어 있습니다.
타마코	이런 이유일 거라고는 예상도 못 했는데.
GM	두껍게 칠한 물감 아래로 희미하게 뭔가의 윤곽이 보이는 것 같기도 하지만, 뭘 그렸는지 전혀 기억이 안 납니다.
타마코	그, 그 여자는, 어떤 느낌이야? 명백하게 악의가 느껴져?
GM	적어도 호의적인 느낌은 아니네요.
타마코	흐, 흐으응. 그렇구나─

GM	터무니없는 사태에 넋이 나갔다가 퍼뜩 정신을 차리자, 캔버스 앞에 홀로 서 있습니다. 뭘 하려고 했는지 손에는 붓 대신 **나이프를 쥐고 있습니다**.
타마코	에에엑!
마아야	팔레트 나이프가 아니라?
GM	**평범한 나이프**에요.
미노리	억.
GM	붓도 없고, 여자도 없어요.
마아야	**꺼림칙해!**
타마코	충격적인 전개라서 깜짝 놀랐잖아! 한동안 그 나이프를 보면서 뭔가 **솟아오르는 충동**이 있는지 확인을……
마아야	뭐라고! 무슨 소린지 모르겠어!
타마코	자해하려고 했던 것인지, 그림을 베려고 했던 것인지……. 그리고 뭘 하고 싶었는지가 신경 쓰이는데.
미노리	타마야, 안 다쳤어?
타마코	그러게. 내 몸에 다친 곳은 없는지 확인해볼게요.
GM	상처는 없는 것 같아요.
타마코	얼마나 멍하니 있었던 걸까?

평범한 나이프
꺼림칙한 느낌의, 가지고 있다가 검문을 당했을 때 애매한 대답을 하면 곤란할 정도의 크기.

솟아오르는 충동
자신을 베려고 했는지, 그림을 자르려고 했는지를 알아내려 하고 있다.

33

GM	집중하던 참이었으니 잘 모르겠네요. 단지, **문이 닫히는 소리**가 들려서 퍼뜩 정신이 든 것 같아요.
미노리	엑?
마아야	문……? 즉, 유령이 아니라 실체가 있는 누군가가 있었다?
류노스케	이거 위험한 거 아니야?
타마코	사알짝 아틀리에의 문을 열고…… 현관의 자물쇠를 확인해보고 싶은데.
GM	현관문은 닫혀있지만, **잠겨 있지는 않네요.**
마아야	와, 잠깐…….
류노스케	타마, 빨리 거기에서 나와. 아직 누가 집 안에 있을지도 몰라.
타마코	하지만 허둥지둥 뛰쳐나가려니 겁나는데. 집 안에서 기척 같은 거 느껴져? 소리가 들린다거나?
GM	숨을 죽이고 귀를 기울여봤지만, 특별히 기척은 없는 것 같아요.
타마코	휴우. 자물쇠를 잠가두자. 다른 곳도 문단속 상태를 확인 할게요.
GM	달리 이상한 점은 보이지 않습니다. 단, 아까까지 누가 있었던 것 같은 생

각을 도저히 떨칠 수가 없어요.

마아야 기분 나빠!

타마코 뭔가 도둑맞은 건 없어?

GM 금품 같은 건 무사해요. 딱 하나……
붓이 없네요.

미노리 가지고 간 건가?

타마코 뭘 하려고 했는지를 떠올려보자.

GM 뭘 하고 싶었을까요?

타마코 전혀 모르겠다는 거군.

GM 네. 그래서 당신의 【사명】은…….

● PC③ (우시오 타마코)

【사명】 당신은 뭔가 중요한 것을 그린 것 같은데, 그것을 스스로 덧칠해버렸다.

당신의 【사명】은 뭘 그리려고 했는지를 떠올리는 것이다.

타마코 상상했던 거랑 좀 달랐어. (오들오들)

마아야 뭘 그렸는지 떠올리는 것보다 더 중요한 문제가 있는 것 같은데…….

미노리 먼저 조사할 일이 있지 않을까?

타마코 나한테는 **그림이 더 중요**할지도 모르고…….

미노리 여자가 있었다는 걸 기억하는데도 그

그림이 더 중요
갑자기 방에 나타난 여자는 초자연적인 존재가 아닌 환각이며, 그 내용을 설명함으로써 소중한 영감을 얻을 수 있다고 직감한 것일지도 모른다.

림이 더 중요하단 말이지. 과연 우시오 타마코.

4. 네 명 모두 죽는다 ● ● ● ● ● ● ● ●

GM 류노스케 군은 고고학 연구실에서 오늘도 바쁘게 이런저런 일을 하고 있습니다.

류노스케 음. 가방끈도 짧으니 잡일이나 하겠지. 짐을 옮기거나, 오래된 자료를 정리하거나.

GM 그런 일을 하고 있는데, 일어서서 뒤를 돌아보니…… 거기에 처음 보는 남자가 서 있어요.

류노스케 오오. **우선 공격**해볼게.

일동 에에에에——!?

류노스케 농담이야. ……싸울 준비는 해두지.

미노리 난 또 뭐라고. (웃음)

류노스케 **나이프는 뽑아두고.**

미노리 글렀잖아!

마아야 성급해!

GM 그 남자는 당신이 자세를 취하든 말든 개의치 않고, 심각한 표정으로……
「**그 여자는, 찾았나?**」

우선 공격
커서를 맞추고 좌 클릭. 류노스케의 조작방법은 액션 RPG였다.

류노스케	응?

| 미노리 | 그 여자? |

반사적으로 공격적인 자세를 취했다.

체내에 아드레날린이 돈다. 무릎이 구부러지고, 발뒤꿈치가 들어 올려지고, 중심이 낮아진다.

온몸이 단숨에 전투태세를 갖춘다.

어리석었다. 이렇게까지 다가왔는데도 알아차리지 못했다니.

누구지, 이 녀석은?

류노스케의 경계에도 눈앞의 사내는 무심한 태도였다.

그럴 때가 아니라고 말하듯이, 류노스케가 들고 있는 나이프의 칼끝으로부터 시선을 거두며 조용히 중얼거렸다.

「그 여자는, 찾았나?」

류노스케	……그 남자, 어떤 사람인데?

| GM | 당신과 같은 냄새가 풍기는 남자예요. |

전장의 냄새
초연…… 피…가솔린……
흙먼지…….
윽, 머리가…….

| 류노스케 | **전장의 냄새**다. |

| 일동 | (웃음) |

| GM | 전장인지 아닌지는 모르겠지만, 수라장을 헤쳐온 듯한 인상을 줍니다. 가벼운 복장에, 나이는 당신과 비슷한 정도일까요. |

| 미노리 | 어라, 날 찾아온 사람하고는 또 다른 |

사람인가?

류노스케 그럼 30대 전후? 일본인이야?

GM 뭐, 그렇네요.

류노스케 눈에 띌 만한 특징이 없는지 볼 수 있을까?

GM **따로 정해두지 않았으므로** 아무렇게나 정해도 됩니다. (웃음)

> **따로 정해두지 않았으므로**
> 이 부분은 그다지 중요한 정보가 아니라고 간접적으로 전하고 있다.

류노스케 귀에 상처가 있다거나?

GM 그럼 귀에 상처가 있는 남자라고 하죠. 그 남자가 「이제 시간이 없다. 사흘 후까지 저주의 근원을 밝혀내지 못하면 **네 명 모두 죽는다.**」

● **PC④ (사코미즈 류노스케)**

【사명】당신은 낯선 방문자에게서 저주의 원인을 밝히지 않으면 친구 셋과 함께 죽는다는 선고를 받았다.

당신의 【사명】은 이 저주가 실재하는지 확인하는 것이다.

류노스케 ……그런 거군. 과연.

마아야 잠깐, **민폐잖아!** (웃음)

류노스케 내가 아는 사람?

GM 딱히 기억은 안 나지만, 아는 것 같기도 하고 모르는 것 같기도 한 기분이 들까 말까 한 정도?

> **민폐잖아!**
> 이 이야기에서 얻을 수 있는 교훈이 하나 있다면, 「갑자기 찾아온 낯선 손님은 민폐를 끼친다」라는 점이다. 사전에 약속을 잡아두자.

류노스케	흠흠.
GM	적의는 느껴지지 않아요. 그 남자는 두리번두리번 주위를 둘러보고,「난 관여하지 않겠다. 충고도 했고.」라고 말하고 떠납니다.
류노스케	**물리적인 사람**이군.
GM	그런 것 같아요.
마아야	물리적인 사람이라니?
류노스케	타마한테 나타난 사람과는 다른 타입이라는 거지. 아마도 살아있는 평범한 인간.
마아야	타마한테 나타난 사람뿐이지, 인간이 아닌 건.
미노리	날 찾아온 건 평범한 인간.
마아야	이쪽도 평범했어. 시체도 남아있었고.
타마코	**아니지, 아니지.** 갑자기 죽어버리고, 수상한 말도 했다는 걸 잊지 말아줘.
미노리	**아니지**. 수상한 말을 하는 인간은 잔뜩 있어. 하지만 흰자위가 없는 인간은 보통 없지.
타마코	내가 의식을 잃은 사이에 떠난 부분에 주목해보자고. 문을 열고 나갔으니까 물리적이지 않아?

물리적인 사람
개념적이거나 형이상학적이지 않은, 수량화할 수 있는 인간.

아니지, 아니지
자기만 평화로운 세계에 머무르려고 하다니, 그럼 못 써.

아니지
그러는 댁이야말로 가장 수상한 게 찾아갔잖아.

40

미노리	이쪽은 그냥 봄에 자주 보이는 인종이었던 것 같아.
마아야	이쪽도 평범한 손님이었어.
류노스케	들은 이야기에 관해 생각하면서 작업을 다시 시작할게.
마아야	아, 류 오빠의 「친구」에 가토 군이 포함되고 나는 포함되지 않을 가능성은…….
타마코	다들 **현실도피**는 그만하자.

5. 유령이라고 말하지는 않았어 ● ● ● ● ● ● ●

GM	이것으로 **도입 페이즈**가 끝납니다. 다음부터는 **메인 페이즈**입니다만, 그 전에 뭔가 하고 싶은 것이 있나요?
타마코	서로 정보교환을 해두는 게 좋겠지.
미노리	응. 전화해서 모이자는 이야기를…… 아, 그런데 평소처럼 마아야 언니네 찻집에서 모일 수가 없네.
류노스케	가 봤더니 검은색, 노란색 테이프가 쳐져서 들어갈 수 없어.
미노리	무슨 일이 있나 하고 엄청 걱정하겠지.
마아야	내 핸드폰에 문자가 쌓이겠는걸.
류노스케	**타마네 아틀리에**에 모이면 되잖아?

타마네 아틀리에
밤낮을 가리지 않고 위험한 그림을 그려대는 마굴(魔窟).

타마코	어서들 와. ……**어제 여기에서 유령이 나왔어.**
일동	(웃음)
류노스케	그 이야기, 자세히 듣고 싶은데.
미노리	타마야, 진정해.
타마코	그, 그래. **머리가 이상해지는** 것 같아.
GM	아, 참……. (【광기】 카드를 테이블 위에 쌓고) 이것이 이번의 【광기】 덱입니다. 16장 있습니다.
미노리	이게 바닥나면 게임 오버?
GM	네. **시나리오 도중이라도** 배드 엔드가 됩니다.
류노스케	아, 타마의 아틀리에에 찾아온 여자의 특징을 알고 싶어.
GM	(『인세인』규칙책의 표지 일러스트를 보여주며) **대충 이렇게 생겼다고**이라고 보시면 돼요.
마아야	GM은 **유령이라고 말하지는 않았어**…….
미노리	(류노스케에게) 뭐가 그렇게 즐거워
류노스케	응? (싱글벙글)
타마코	류 오빠. 아까부터 굉장히 즐거워 보여. 어떤 유쾌한 【비밀】을 가지고 있

대충 이렇게 생겼다
일러스트를 요청할 때 이렇게 주문했더니, coco씨가 굉장히 가슴이 큰 여성의 일러스트를 보내주셨습니다. 가슴 사이즈는 별로 얽매이지 않으므로 문제는 없었습니다.

는 걸까?

류노스케는 생각했다.

——저주라고?

친구 셋과 함께 죽어?

헛소리. 그런 원한을 산 기억은 없어…….

웃어넘기려던 순간, 뇌리를 스치고 지나가는 것
이 있었다.

연구실에 찾아온 남자의 말을 떠올린다.

——「그 여자」.

설마.

생각하고 싶지 않은 가능성에 내심 신음을 흘린다.

그 여자가 이 사건에 관여하고 있다면 사태는 매
우 심각하다.

겁에 질려 달라붙는 세 명의 친구를 바라보며,
류노스케는 가슴 속에서 걷잡을 수 없는 초조감이
커지는 것을 느꼈다.

검게 덧칠한 캔버스를 눈앞에 두고 타마코 또한
생각에 잠겼다.

집요하게 물감을 덧칠한 캔버스는 그 여자의 눈
처럼 새까맣다.

이걸 내가 했다고?

뭘 때문에?

종종 실패작을 폐기한 적은 있다.

하지만 이건 아니다.

뭘 그렸는지는 전혀 기억나지 않지만 분명 걸작을 그렸다고 강하게 확신했다.

——좋아.

어떻게든 덧칠된 물감을 긁어내서 내가 뭘 그렸는지를 밝혀내겠어.

그렇게 결의하고 캔버스에 손을 뻗으려고 했다.

그 손끝이, 떨고 있었다.

손가락을 잠시 바라보다가 타마코는 깨달았다.

자신이 잊고 있는 어떤 이유로 인해, 타마코의 몸은, 깊은 공포를 느끼고 있었던 것이다.

◆ 메인 페이즈 제1 사이클(1일째)

1. 밤길은 어두워서 무서우니까 ● ● ● ● ● ● ●

GM   그럼 지금부터 **메인 페이즈.** 지금 조사
            할 수 있는 단서는 세 가지가 있습니다.

GM은 테이블에 세 장의 핸드아웃을 나열했다.

● **인물:** 가토 시게하루
【개요】 친구. 대학교 2학년.

● **인물:** 가게에서 죽은 남자
【개요】 죽은 남자. 신원 불명.

● **물품:** 덧칠된 그림
【개요】 타마코가 새까맣게 덧칠한 그림. 물감을
잘 긁어내면 뭘 그렸는지 알 수 있을지도……?

GM   따로 희망자가 없다면 GM의 왼쪽부
            터 시계 방향으로 진행합니다. 미노리
            양부터.

미노리   **드라마 장면**으로. 【비밀】도 신경 쓰이
            지만, 우선 【감정】을 맺고 싶어.

GM   네. 우선 어떤 장면인지 정하지요. 「**사
            실은 무서운 현대 일본」 장면표**로 부탁
            합니다.

미노리   굴린다. (주사위 굴림) 6.

GM   「어두운 길을 홀로 걷고 있다. 등 뒤에

45

	서 기분 나쁜 발소리가 다가오는 것 같은 기분이 드는데…….」
미노리	어머나, 무셔 무셔. 역시 밤이겠지. 우선 타마네 아틀리에에 집합.
GM	사건 당일의 밤이겠지요. 다른 사람도 나옵니까?
타마코	다 함께 내 아틀리에에 모여서 정보를 교환하는 정도면 무난하지 않을까?
미노리	밤길은 어두워서 무서우니까 **걸어 다니면서 스마트폰**으로 계속 문자나 트위터를 보면서 갈래.
마아야	**더 위험**해!
미노리	「그런 일이 있었다니까? 너무하지!? 심령사진인지 뭔지 내가 알 게 뭐야!」
마아야	우리 집은 **그것보다도 더 심각**하지. (어두운 얼굴)
미노리	어어. 졸릴 텐데 미안해. 사건이 터졌었지. 미안, 미안.
마아야	그래서 내일은 임시휴업이야.
미노리	그런데 가게에서 쓰러진 남자는 어떤 사람이었어?
마아야	떠올려볼까?
GM	40대 정도, 평범한 키와 몸집, 정장 차

걸어 다니면서 스마트폰
이 리플레이의 등장인물은 고도의 훈련을 받고 있습니다. 절대로 흉내 내지 마세요.

더 위험
사슴이나 곰 따위와 충돌할 가능성이 있다.

림의 남자입니다.

미노리	날 찾아온 사람이랑 똑같은데?
타마코	특징 기억할 수 있어? 초상화 그려보자. 죽은 사람이랑 일치하는지.
류노스케	**뭐로 판정할 건데?**
타마코	《예술》? (주사위 굴림) 좋아! 인상이 일치해?
GM	아마도 동일인물 같아요.
마아야	쏙 빼닮았네.
류노스케	경찰한테 말해야 하지 않나?
미노리	어째서?
류노스케	경찰은 남자의 행적을 알고 싶어 할텐데.
마아야	만약 동일인물이라면 **이미 죽었으니까.**
미노리	그, 그렇구나.
마아야	그러니까 사진을 넘겨달라고 다시 찾아올 일은 없을걸?
미노리	**다행이다.**
류노스케	미노리의 심령사진이라는 건 뭘까? 정말 안 가지고 있어?
미노리	나, 애초에 스틸 사진은 잘 안 찍는걸. 가토 군이 헛소문을 퍼트렸을 뿐이야.

뭐로 판정할 건데?
플레이어가 게임에 익숙한 관계로 장면 플레이어가 아닌 장면에서도 멋대로 판정하고 있지만, 중요한 정보를 주는 것도 아니므로 이 정도는 문제없다. 장면 플레이어를 방치하는 일이 없도록 주의하면서 장면의 분위기를 무르익게 한다면 모두가 즐길 수 있다.

다행이다
다행은 아니야.

47

나중에 혼내줘야지!

마아야	가토 군은 자?
미노리	전화해봤는데 연결이 안 돼. 내일 다시 걸어볼래.
마아야	하지만 가토 군은 헛소문을 퍼트릴 녀석은 아니잖아?
미노리	그렇긴 한데.
류노스케	**그랬지**. (웃음)
타마코	심령사진이 없으면 곤란하다고 했지? 그 사람이 안고 있던 문제는 심령사진을 넘기면 해결할 수 있었을까?
미노리	으—음……? 혹시 타마 너 심령사진 가지고 있어? 타마가 찍은 것이 내가 찍은 것으로 알려졌다든지.
타마코	**내가 왜 그런 걸 가지고 있어?** 난 억울하다고!
미노리	일단 물어봐 둘까 해서.
GM	슬슬 진행할까요? 【감정】은 누구랑 맺나요?
미노리	걱정되는 거야 다 마찬가지지만, **나이프를 든 모습까지 나와서** 가장 걱정되는 타마를 상대로 **감정판정**을 할게.
타마코	(웃음)

류노스케	**그런 관계**도 있는 법이지. (웃음)
미노리	《추적》으로. 뭔가 곤란한 일이 있으면 꼭 찾아갈게.
타마코	고마워. **곧 곤란해질 것 같아.**
미노리	**상황은 잘 모르지만.** (웃음) (주사위 굴림) 좋아, 성공. 서로 감정을 맺었어.
타마코	(주사위 굴림) 우정이야.
미노리	(주사위 굴림) 6! **광신**!
마아야	또는 **살의**!
미노리	광신이겠지. 굳이 고르자면.
GM	진짜 나올 때마다 골칫거리지요, 감정 판정의 6. (웃음)
타마코	우정, 우정, 우정.
미노리	누가 뭐래도 타마의 재능은 굉장하니까! (광신)
마아야	나이프 들고 있던 건 이제 신경도 안 쓰네.
미노리	아니야! 당연히 걱정되지.
GM	네. 서로 우정(?)을 확인했습니다.

2. 사살이야, 사살!　·········

마아야	나도 드라마 장면. 우선 그대로 이어

그런 관계
위태로워서 내버려 둘 수 없는 친구.

상황은 잘 모르지만
네가 곤경에 처하면 찾으러 갈게, 네가 있는 곳에 도착할지는 잘 모르겠지만, 찾으러 가 볼게.

서 다 함께 있는 장면이 좋겠지. 하고
싶은 건 역시 「가게에서 죽은 남자」의
【비밀】을 조사하는 건데.

| GM | 네. |
| 마아야 | **조사판정**을 하겠어. 엄청 졸리긴 하지만, 자지 않도록 옆에서 지켜봐 줘. |

맡겨둬
지난번에는 비슷한 상황에서 냅다 잤다.

미노리	응, 응. **맡겨둬**.
마아야	미노리에게서 남자의 상태가 어땠는지를 들으면서 조사한다.《인내》로.
GM	네.
마아야	(주사위 굴림) 성공했네.
GM	네. 그럼 전화가 울립니다.
마아야	어? 내 전화가 울리는 거지?
GM	네.
마아야	누구지?
GM	경찰이군요.
마아야	「아, 잠깐만. 여보세요?」(전화를 받는다)
GM	「경찰입니다만, 댁의 가게에서 돌아가신 남성의 신원을 알아냈습니다.」
마아야	오!

GM은 「가게에서 죽은 남자」의 【비밀】을 마아야

에게 넘겨줬다.

- **인물:** 가게에서 죽은 남자

【비밀】 호러 스케이프. 확산정보.

남자의 신원이 판명된다. 아기타 대학의 「민속학 연구실」에 재적 중인 비상근 강사 아마다 토지(天田藤二)다.

마아야	**확산정보**구나.

GM	「**민속학 연구실**」의 핸드아웃이 공개됩니다. 다음부터 이것도 조사판정의 대상으로 선택할 수 있어요.

- **장소: 민속학 연구실**

【개요】 아기타 대학 구내의 민속학 연구실.

류노스케	민속학 연구실? 그럼 본 적이 있을지도 모르겠는데. 타마가 그린 초상화를 보고 알고 있는 사람인지 떠올려봐도 될까? **조킹(joking)**이요.

GM	그렇군요. 그 말을 듣고 보니 확실히 낯이 익어요.

류노스케	정말로 재적하고 있는 모양이야.

타마코	**호러 스케이프**라고 쓰여 있는데, 이건 뭐야?

GM	네. 그건 조사판정 중에 뭔가 무서운 일이 일어난다는 규칙입니다.

확산정보
전원에게 공개되는 정보.

민속학 연구실
조사하러 가면 변변찮은 일이 일어날 법한 장소 랭킹에서 제법 상위에 있는 장소. 장발에 양복을 입은 교수를 만나기라도 하면 이미 끝장났다고 봐야 한다.

조킹 (joking)
조사판정의 범주에 해당하지 않는 잡다한 정보의 수집을 『인세인』에서는 조킹이라고 한다. 조사판정 이외에도 여러 가지를 시도 할 수 있다. 조킹으로는 【비밀】 등의 중요한 정보는 입수할 수 없지만, 뭔가 관련된 힌트를 얻을 수는 있다.

미노리	억.
GM	무작위로 정할 수도 있지만, 이번에는 미리 준비해둔 호러 스케이프가 발동합니다.
마아야	뭐, 뭘까?
GM	마아야 양이 이야기를 하고 있으면, 점점 **전화 너머의 상태가 이상해집니다**…….

전화 너머에서 갑자기 경찰관의 말투가 조소로 바뀌었다.

「바보 아닙니까?! 그런 곳에서 죽다니. 당신도 성가셨지요?」

「에? 아니, 그런…….」

「에헤이! 솔직하게 말해도 돼요. 성가셨지요? 귀찮게 가게 안에서 뒈졌다고, 그런 생각 했지요?」

「아, 아뇨……?」

마아야가 곤혹스러워하는 데에도 불구하고, 경찰관의 말투는 점점 거칠어졌다.

「아아, 하지만 모를 일이지요! 어쩌면 당신네 가게에서 이상한 걸 먹였을지도요. 그래서 죽었을지도 모르지요. 그렇지요? 시노하라 마아야 씨?」

가시 돋친 말투에 마아야는 말문이 막혔다. 왜 이런 말을 듣고 있는 건지 알 수가 없다.

당돌한 악의에 노출되어서 머리가 마비되기라도 한 것 같았다.

경찰관은 이미 폭력적인 태도를 감추려고도 하

지 않았다.

「야! 어이! 어떠냐고! 뭔가 먹인 거 아니야!? 뭐든 말 좀 해봐, 임마!」

마아야	어, 어, 어!?
GM	전화 너머에서 경찰의 태도가 점점 이상해집니다.
류노스케	경찰이 아닌 거 아니야?
마아야	녹음할 수 있지? 즉시 녹음해.
GM	경찰은 죽은 남자를 악담으로 매도하고, 당신까지 매도합니다. 「지금부터 체포하러 갈 거다! **사살이야, 사살!**」이라고 하더니, 그 뒤쪽이 소란스러워집니다. 「뭐 하는 거냐, 무슨 말도 안 되는 짓거리야!」라고 전화 너머가 떠들썩해지나 싶더니 갑자기 탕! 하고 큰 소리가 납니다.
일동	…………. (웃음)
GM	정신을 차리고 보니 전화가 끊어졌습니다.《협박》으로 공포판정을 하세요.
마아야	어어,《인내》에서, 8? (주사위 굴림) 안 나오네.
GM	그럼 【광기】를 한 장 드리지요.
마아야	빨리도 【광기】를 받아버렸네.

사살이야, 사살!
커서를 맞추고 좌 클릭. 이 사람의 조작방법도 액션 RPG다.

트리거
【광기】에는 각각 현재화하기 위한 조건이 있으며, 이것을 트리거라고 부른다. 조건을 충족하기 전까지의 【광기】는 자신의 내면에 숨겨진 채로 해를 끼치지 않는다. 하지만 일단 트리거가 발동하면…….

110번
역주: 일본의 110은 우리나라의 112에 해당.

쇼크
【이성치】에 적용되는 대미지.

지금 막 받은
이 경우, 공포판정에 실패해서【광기】를 받은 것과 호러 스케이프로 쇼크를 받은 것은 같은 타이밍에 벌어진 일이므로, 이 쇼크가 「기억상실」의 트리거가 될지에 대해서는 해석이 갈릴 수도 있다. 여기에서는 플레이어가 스스로 공개하기도 했고, 상황으로 미루어 볼 때 자연스러웠기 때문에 이렇게 적용했다.

GM	**트리거**에 주의하세요.
마아야	이거 일이 커졌네. 번호는 경찰서 전화야?
미노리	그 번호로 다시 걸어보면?
마아야	이어서 행동할 수 있나?
GM	조킹의 범위니까 괜찮아요.
마아야	다른 사람의 전화를 빌려서 **110번**에 전화를 걸고, 녹음한 걸 들려주자.「이게 정말이라면 그쪽에 큰일이 벌어졌을 것 같은데요.」
GM	「조사하겠습니다. 뭔가 알게 되면 연락해드리겠습니다.」라는데…… 뭔가 미묘하게 찝찝하네요.
류노스케	어쩌지? 직접 경찰서에 갈까?
미노리	사살이니 체포니 했잖아. **집이 걱정돼**. 집에 전화해봐야 할 텐데…….
GM	아. 마아야 양은 지금 그걸로 **쇼크**를 받아주세요.【이성치】1점 감소합니다.
마아야	쇼크를 받으면 안 된다고뇨로! 왜냐하면…….
GM	아.
마아야	**지금 막 받은** 광기,「기억상실」이 발동하니까.
일동	엑!

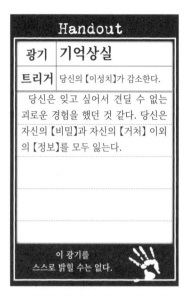

Handout	
광기	**기억상실**
트리거	당신의 【이성치】가 감소한다.

당신은 잊고 싶어서 견딜 수 없는 괴로운 경험을 했던 것 같다. 당신은 자신의 【비밀】과 자신의 【거처】 이외의 【정보】를 모두 잃는다.

이 광기를
스스로 밝힐 수는 없다.

GM	이게 첫 장면이라 다행이네요.
마아야	**나, 상태가 이상합니다.**
일동	마아야 언니! / 마아야!
마아야	누구세요?
류노스케	**그런 것까지 잊었어!?**
마아야	이거, 어느 정도의 기억상실이지?
GM	**불편하지 않을 정도**면 돼요. (웃음)
류노스케	전화 통화 중에 기억이 끊긴 것일지도.
미노리	지, 집에 돌아갈 때 조심해.
타마코	이상한 전화를 받았다고 난리 치지 않

불편하지 않은 정도
규칙상의 효과는 딱 정해져 있으므로, 나머지는 플레이어의 연출에 맡기고 있다.

	앉어?
마야아	뭐가? (멍하니)
류노스케	······내가 데려다줄게.

3. 표정이 사라졌어 • • • • • • • •

타마코	유화의 【비밀】을 조사하고 싶어.
GM	우선 장면표를 사용해 보실까요.
타마코	(주사위 굴림) 7.
GM	「누구지? 계속 시선을 느낀다. 돌아봐도 일상적인 광경이 보일 뿐인데······.」
마야아	아, 나 아까 장면표 안 굴렸네. 지금 굴려도 돼?
GM	**돼요**. (웃음)
마야아	(주사위 굴림) 7. 똑같네.
GM	아틀리에 어딘가에서 누가 쳐다보기라도 하는 모양이네요.
마야아	기, 기분 탓이겠지!
류노스케	조각상이라도 있는 거 아닐까.
타마코	안 좋은 일이 일어날 것 같아······. 우선《예술》로 판정. 유화의 검은 부분을 닦아보자. (주사위 굴림)
GM	성공이네요. 이걸 보시면 됩니다.

돼요
별 의미는 없다.

　GM은「덧칠된 그림」의【비밀】을 타마코에게 건넸다.

●**물품:** 덧칠된 그림
【**비밀**】조심스럽게 물감을 지웠더니, 잡목림에 세워진 집 같은 것이 보이기 시작한다. 뭐지, 이건? 가만히 보고 있는데, 시선이 느껴진다.
　……그림 안에 있는 집의 창문에서「눈이 검은 여자」가 당신을 무시무시한 얼굴로 노려보고 있다!
　쇼크: 전원.《예술》로 공포판정.

타마코　　……………….

미노리　　나도 보여줘. ……….

류노스케　표정이 사라졌다.

미노리　　**잠까안.** (웃음) 에에에에에. 잠깐 기다려. 아니, 잠깐.

　덧칠된 물감 속에서 드러난 것을 보고 타마코는 얼어붙었다.
　캔버스 위에 그려진 검은 집.
　집 안에서, 그 여자가, 이쪽을 보고 있다.
　조잡한 터치였지만, 틀림없는 자신의 것이었다.
　내가 이걸 그린 건가?
　왜?
　어느새?
　여자의 눈을 보고 등골이 오싹해진다. 마치 뱀 앞의 개구리처럼 시선을 피할 수가 없다. 계속 아틀리에 안에서 누군가의 시선을 느꼈던 이유를 이

제야 안 것 같다.

두꺼운 검은색 물감 아래에서, 이 여자는, 계속 타마코를 보고 있었던 것이다.

GM	우선 두 사람은 쇼크를 받으세요. 【이성치】가 1점 줄어듭니다. 공포판정은…… 둘 다 성공이네요.
미노리	타타타타타마야, 이거, 이거야?
타마코	그린 기억이 없어.
미노리	이거야?
타마코	몰라……. 이거, 눈이 검은 여자는 아까 나타난 여자와 비슷하게 생겼어?
GM	**특징적인 눈**이니까요.
타마코	그렇구나! 보여줘도 상관없으려나~ (마아야와 류노스케를 보면서)
마아야	뭔데? 그걸 억지로 우리한테 보여주려고? (**방어 태세**)
미노리	일단 그림에 천을 씌워두자.
타마코	그러게. 천을 덮어둘게. 이건 아직…….
미노리	보여주고 싶지 않아. 마아야 언니랑 류 오빠가 있는 거실로 통하는 문을 등 뒤로 살며시 닫아둘게.
류노스케	보여주고 싶은 부분만 보여줘도 되는데?

특징적인 눈
그녀는 그림을 보면 그린 사람이 정말로 그리고 싶었던 것이 보이는 특징적인 눈을 가지고 있었다. 화랑을 돌며 들은 해설은 하나같이 독특하지만 이해가 가능한 수준이었으며, 나도 그 이야기를 믿고 있었다. 그래서 아무리 못 그려도 좋으니 자신을 그려달라는 그녀의 요청에는 응할 수 없었다. 내가 그녀에게 무엇을 하고 싶은지를 들킬 테니까.

미노리	타마야, 이거 언제 그렸어?
타마코	몰라. 굉장한 걸작을 그렸다고 생각했는데…….
미노리	걸작?
마아야	**트라우마계 화가**로서는 옳은 거 아니야?
타마코	하지만 보여줘도 되는 것과 그렇지 않은 것이 있다는 생각이 들어.
미노리	음…….

트라우마계 화가
그들이 그린 그림은 보는 이에게 가치관이 흔들릴 만한 충격을 준다. 또, 아이들이 오줌을 지리게 하는 효과가 있다.

타마코와 미노리는 이야기 끝에 정보를 언제든지 공유할 수 있기 때문에 이 【비밀】의 공개를 보류하기로 했다.

마아야	「뭔지는 잘 모르겠지만, 완성도는 괜찮았어?」
미노리	「괜찮았어. 괜찮았지. 응. 확실히 그림 자체는 잘 그린 것 같아.」
타마코	으—음……. 왜 나일까. (중얼중얼)
마아야	「왜 그래? 안색이 안 좋은데.」
미노리	「……아무것도 아니야.」
타마코	아직 이야기할 때가 아니야.
GM	【비밀】을 밝히지 않는 선에서 구두로 약간의 정보를 전하는 것은 허용합니다.
미노리	여자가 그려져 있다는 건 말해버렸지.

타마코	잡목림 안에 집이 있고, 거기에 여자가 있어.
미노리	아까 들은 이야기의 여자가 그대로 그려진 것 같아. 즉, 걸작이야!
류노스케	그 잡목림과 집은 본 적 있어?
타마코	없지?
GM	없지요.
마야야	타마야, **그림의 세계**에 너무 깊이 들어간 거 아니야?
미노리	이 정보, 새로운 핸드아웃과 이어지지는 않아?
GM	아, 이어집니다. 「눈이 검은 여자」에요.

그림의 세계
그림의 세계 따위 없어요…. 판타지나 메르헨도 아니고.

● **인물:** 눈이 검은 여자
【개요】저주의 배후인 듯한 인물.

GM	「눈이 검은 여자」는 캐릭터 시트의 **인물란**에 기재하세요.
일동	예입.
미노리	【비밀】을 알아냈을 때 체크하면 되지?
타마코	이런 일이 나한테 일어난 이유를 모르겠는데. 인터넷에서 여자나 민속학에 관해 검색해서 비슷한 이야기가 없는지 조사해볼래.

GM	눈길을 끄는 이야기는 없네요. 실화괴담에서 검은 눈의 여자가 나오는 일은 **종종 있지만.**

종종 있지만.
「흰자위 없이 눈 전체가 검은색인 유령」은 현대 실화괴담의 전형 중 하나다.

4. 오랜만이야   • • • • • • • •

류노스케	곧바로「눈이 검은 여자」를 조사하고 싶어.
GM	장면표 사용하세요.
류노스케	응. (주사위 굴림) 8.「갑자기 핸드폰이 울린다. 매너 모드로 해뒀을 텐데……. 도대체 누구지?」
GM	알겠습니다. 핸드폰이 울립니다.
류노스케	받긴 받는데, 아는 번호야?
GM	모르는 번호네요. 조사판정을 해주세요.
마아야	전화라고 하니까 이젠 **안 좋은 예감밖에 안 들어.**
류노스케	으음. 어떤 특기로 판정할까……. 유령 같으니까《죽음》이라고 하자. (주사위 굴림) 성공. 아슬아슬했다!
GM	네. 여기요.

안 좋은 예감밖에 안 들어
체포 후 즉각 사살이라는 사건처리 러시가 뇌리에 떠올랐다.

GM은「눈이 검은 여자」의【비밀】을 류노스케에게 건넸다.

류노스케	**아뱌아**— 역시! (웃음)

아뱌아—
기괴한 외침이었다.

61

마아야	뭔데? 뭔데?
GM	그럼, 어디 보자……. 여러분이 소곤소곤 이야기를 나누고 있는데 갑자기 류노스케 군의 전화가 울리고…….
류노스케	받았어.
GM	전화를 받은 류노스케의 얼굴이 험악해지더니.
류노스케	「너냐!」
일동	에?
마아야	아는 사람인가?
GM	전화 너머에서 여자의 목소리가 들립니다. 「**오랜만이야.**」
타마코	어어어어?

휘이이이이.

회선 너머로 엄청난 바람 소리가 들렸다.

마치 깊고 깊은…… 바닥없는구멍 안에서 불어닥치는 듯한 바람 소리.

그 바람 속에서 여자가 웃고 있다.

깔깔대는 미친 듯한 웃음소리가 들린다.

귀에 익은 목소리였다.

「너냐!」

류노스케가 노성을 지르자 웃음소리는 뚝 멈췄다.

휘이잉 하고 거칠게 불어닥치는 바람 소리만이

귀에 흘러들어왔다.

회선 너머는 대체 어디일까. 이 세상에 이렇게 음침한 바람이 불 만한 곳이 있을까?

이윽고 귓가에 속삭이는 것처럼 또렷하게 여자의 목소리가 들렸다.

「오랜만이야.」

류노스케	의미 없긴 하겠지만……「**그건 어디에 있지?**」
타마코	굉장한 【비밀】인가 봐!
미노리	저기만 장르가 달라!
타마코	우리가 【비밀】에 농락당하는 사이에 【비밀】과 싸우는 사람이 있어.
GM	「어디 한 번 찾아봐.」……악의에 찬 웃음소리와 함께 전화는 끊어집니다.
타마코	에———.
류노스케	그냥 아는 사람 전화였어. ……내용은 공개 안 할게.
미노리	【짐작】.
타마코	이 녀석 대놓고 캐내고 있어!
미노리	「류 오빠, 무슨 일이야?」
류노스케	「잠시 옛날에 알던 사람한테 전화가 와서.」
미노리	류 오빠가 옛날 알던 사람이라면…….

그건 어디에 있지?
분노를 억누른 목소리. 그로 인해 엄청 심각한 얼굴로 말했다. 갑자기 액션 영화의 주인공처럼 됐다.

【짐작】
다른 PC가 획득한 【정보】를 자신도 볼 수 있는 어빌리티. 강력하다.

타마코	**여자친구**?
마아야	전 여친이네. **파고들지 말자**.
미노리	하지만 말이야, 그 아는 사람이 정장 차림의 아저씨일지도 모르잖아. (주사위 굴림) 좋아, 성공.
류노스케	자, 여기.

파고들지 말자
배려할 줄 아는 어른.

【짐작】 판정에 성공한 미노리에게 류노스케가 「눈이 검은 여자」의 【비밀】을 건넸다.

미노리	괜찮아. 【광기】를 뽑진 않았으니까⋯⋯.
일동	(웃음)
미노리	⋯⋯하아?
마아야	**즐거워 보이네.**
류노스케	그런 의미의 아는 사람이야.
마아야	류 오빠의 【비밀】이랑 관계가 있겠지.
타마코	그렇겠지.
미노리	고생 많네⋯⋯
류노스케	좀 그렇지. **어떤 의미로는 인기남**이라서.
미노리	류 오빠에게 사연이 있도다.
마아야	뭘 직접 **보기라도 한 것처럼**⋯⋯.
타마코	아, 미노리랑 감정 맺었으니까 나도 볼 수 있지?

어떤 의미로는 인기남
'모기에게 인기가 있다'와 비슷한 의미. 그리 반가운 의미는 아니다.

보기라도 한 것처럼
보고 왔다구.

GM   볼 수 있겠네요. 여기요.

타마코도 「눈이 검은 여자」의 비밀을 봤다.

타마코	……어어?

미노리   대체 류 오빠의 정체가 뭐냐는 의문이 마구 샘솟아.

5. 뭐지, 이건?   • • • • • • • •

GM   이것으로 제1 사이클, 그러니까 첫 날이 끝났습니다. 여기에서 마스터 장면.

타마코	뭐, 뭘까? (흠칫흠칫)

GM   별거 아니에요. 그저, **마아야 양에게 【광기】를 한 장 선물할 뿐**입니다.

마아야	하아!?

류노스케   ……어째서?

기분이 나빴다.
머리가 아프다. 속이 메슥거린다.
아까 뭔가, 매우 불쾌한 일이 일어났던 것 같다…….
뭐였더라?
……안 돼.
머릿속에 안개가 낀 것처럼 생각이 나지 않는다.
그 일을 떠올리려고 하기만 해도 토할 것 같다.
기분이 나쁘다.
어차피 잊어버릴 거라면, 이 불쾌한 기분도 사라

져버리면 좋을 텐데.

입을 틀어막으며 소파에 앉은 마아야의 시야에 타마코네 부엌에 있던 전자레인지가 들어왔다.

문득 예전에 인터넷에서 본 기사를 떠올린다.

컴퓨터의 하드디스크를 전자레인지에 넣고 돌리면 안의 데이터를 소거할 수 있다는 내용의 기사였다.

어쩌면 인간도 똑같지 않을까?

머리를 전자레인지에 집어넣으면 안 좋은 기억도 지워주지 않을까……?

「……마아야? 왜 그래?」

의아해하는 류노스케의 목소리에 퍼뜩 정신을 차렸다.

지금…… 지금, 나는, 무슨 생각을 했지?

마아야	뭐지, 이건……? 아까 기억상실을 일으켜서?
타마코	……【광기】 카드, 이제 몇 장 남았지?
GM	14장이에요. 아직 괜찮습니다.
미노리	그, 그러게, 그렇겠지.
마아야	………….

◆ 메인 페이즈 제2 사이클(2일째)

1. 뭔가 눈이 검고 ●●●●●●●●●●

GM 장면표 사용하세요.

미노리 굴린다! (주사위 굴림) 5.「TV에서 뉴스가 들린다. 아무래도 근처에서 끔찍한 사건이 있었던 모양인데…….」**이거 실제 상황이잖아!**

타마코 있었지, 끔찍한 사건.

GM 「경찰서 내에서 총이 폭발해, 부상자가…….」

미노리 기숙사에서 TV를 보면서「저거, 진짜였어!?」

마아야 폭발이 아닐 텐데…….

류노스케 불상사였으니까.

마아야 그렇겠지. 은폐하겠지.

미노리 폭발로 처리된 거구나.

마아야 **그런 일이 있었구나.** (기억상실)

미노리 으, 응.

류노스케 아침에 다 함께 있는 건가?

타마코 모인 시간이 늦은 밤이었으니까, 다음 날 아침에 해산한 후?

미노리 뭘 조사해야 할까……. 가토를 갈궈야

그런 일이 있었구나~
이 시점에서 마아야의 핸드폰에 남아 있는 통화 녹음 때문에 위험한 일이 생길 수도 있었으나, 본인에게 자각이 없을 뿐만 아니라 이야기도 그쪽 방면으로는 발전하지 않았다.

		하나?
GM		이 장면의 등장인물은 누구인가요?
류노스케		가토?
미노리		응.
마아야		이젠 가토 군이라고조차 불러주지 않네.
미노리		하지만 일대일로 만나기는 불안하니까 미술과에 들러서 타마를 꼬시자. **가토 갈구러 갈 건데 같이 가자**.
타마코		야, 가토! 이게 어떻게 된 거야! (**목을 졸라대는 시늉**)
마아야		*끄에엑! (웃음)*
미노리		영화 연구부의 부실에 있겠지.「얘, 가토 구운?」(**뚜둑뚜둑**)
GM		그럼 가토 군은 느긋하게 스낵을 먹으면서…….「왜요?」
미노리		「아아, 지난번에는 고마웠어. 양조장.」
GM		**「당연한 건데요, 뭘.」**
미노리		「다음에 드라이브할 때 또 데려가 줘.」
GM		「좋아요.」
미노리		「그런데 그건 그렇다 치고, 너 말이야! (**쾅!**) 왜 내가 심령사진을 찍었다고 헛소문을 퍼뜨린 거야?」

뚜둑뚜둑
혈관이 돋는 소리.

당연한 건데요, 뭘
양조장에 가도 맥주를 마실 수 없는 존재, 그것이 바로 운전사다. 가토 군은 마음이 넓다.

쾅!
탁자를 내리쳤다.

68

GM	「어? 심령사진? 어라? **어떤 여자한테 받아서**…… 미노리 씨 아니었나요? 아, 감자칩 먹을래요?」(봉지를 건네며)
미노리	(밀어내며) **필요 없어!** 여자라니 무슨 소리야? 그 부분 자세히 설명해봐. 일단 거기 앉고!
GM	앉아 있는데요. (웃음) 그럼 조사판정을 해주세요.
미노리	으음. 옆에서 보기에 몰아붙이는 것처럼 안 보이도록《웃음》으로. 즐겁게.
마아야	아니아니아니. 미노리! 눈매가 험악하잖아!
미노리	(주사위 굴림) 성공.
GM	네.

GM은 「가토 시게하루」의 【비밀】을 미노리에게 건넸다. 미노리에게 감정을 맺고 있는 타마코도 옆에서 같이 본다.

미노리	………….
타마코	나, 이 종이 싫어. ………….

● **인물:** 가토 시게하루

【비밀】호러 스케이프. 확산정보.

가토는 미노리가 심령사진을 보여줬다고 말하지만, 자세히 기억하지는 못한다. 사진은 친구인 「쿠로사키 코타로(黒崎小太郎)」에게 건넸다고 한다.

쇼크: 이 【비밀】이 밝혀진 장면에 등장한 캐릭터.

마아야	쿠로사키? 누구?
미노리	자세히 기억하지 못한다니 무슨 소리야?
타마코	그보다 호러 스케이프라니?
GM	가토 군은 「여자한테 사진을 받아서, 당연히 미노리 씨라고 생각했는데요……. **뭔가 눈이 검고……**」라고 말하다가 갑자기 피를 쿨럭 토합니다.
류노스케	가토오!
GM	대체 무슨 일인가 싶어서 자세히 보니까 아까부터 먹고 있던, 스낵이라고 생각했던 것이 **봉지 가득 들어있는 유리조각**이었습니다.
미노리	**우와아!**
타마코	와——!

봉지 가득 들어있는 유리조각
타코스 맛.

눈앞에서 무슨 일이 일어났는지, 미노리는 이해할 수 없었다.

대낮의 평화로운 영화연구부 부실 안에서 테이블 위에 뚝뚝 떨어지는 피.

미노리도, 주위의 다른 부원들도, 당사자인 가토 본인조차도 사태를 이해하지 못하는 것 같았다.

아까부터 가토가 먹고 있던 것은 스낵이 아니었다.

봉지 가득히 들어있는, 유리 조각이었다.

왜 아무도 눈치채지 못한 걸까.

가토가 유리 조각을 계속 먹고 있는 것을, 어째서 아무도 이상하다고 생각하지 않았던 걸까.

「아…… 어?」

당황한 얼굴로 가토가 입을 벌렸다.

후두두두둑. 새빨갛게 변한 입안에서 피가 줄줄 흘러내렸다.

GM	가토 군은 "이게 뭐야……?" 라는 얼굴로 피를 쿨럭 토해내고 쓰러집니다.
미노리	**구급차!**
타마코	아…….
류노스케	어느 평행세계에서도 보답받지 못하는 아이.
GM	이 장면에 등장한 두 사람, 쇼크로【이성치】1점 잃으세요.
미노리	세상에. 만약 **감자칩을 받아먹었다면**…….
GM	그리고 공포판정.《절단》으로.
타마코	8이면 성공. (주사위 굴림) 9 나왔다! 성공.
미노리	어느 쪽이든 9. (주사위 굴림) 나왔어, 성공.

GM	그럼 【광기】는 없고요. 핸드아웃이 하나 추가됩니다.

● **인물:** 쿠로사키 코타로

【개요】 가토의 친구. 가토의 상태가 이상해서 걱정하고 있다.

미노리	우선 119를 부르자.
GM	**큰 소동이 일어나겠네요.**
미노리	어쩌지? 그럼 얘는 더는 아무 말도 못 하는 거잖아?
GM	뭐, 그렇겠지요. 구급차가 와서 실려 갑니다. 영화연구회의 멤버들도 다들 충격을 받았습니다. 「어쩌다가 이런 일이 생긴 거지?」
류노스케	다른 사람…… 부원들도 있었던 거야?
GM	조금은.
류노스케	다행이다. 목격자가 있어서.
미노리	다행이야, 손을 대지 않아서. 이렇게 (목을 조르는 제스처를 취하며) 했으면 **아웃**이었어.
일동	(웃음)
미노리	저기, 어쩌지? (타마코와 마주 보며)
타마코	눈이 검은 여자…….

큰 소동이 일어나겠네요
상황만 보면 공들인 자살로밖에 안 보인다. 하지만 주위에 사람이 많이 있었는데 아무도 말리지 않았다.

아웃
체포 후 즉시 사살이다.

미노리   ……라고 했지?

타마코   어쩌지?

미노리와 타마코는 제1 사이클에서 알아낸 정보를 전할지 말지를 두고 목소리를 낮춰 의논했다.

타마코   미노리가 진실에 가장 가까이 다가간 것 같아.

미노리   알면 알수록 혼란스러워.

어젯밤에 교환해둔 셈 치고 다들 【거처】를 교환하면서 이 장면은 끝났다.

2. 여기, 절대 열지 마   ● ● ● ● ● ● ● ●

마아야   다음은 나지?

GM   드라마 장면이면 되나요?

마아야   그래.

GM   장면표를 사용하세요.

마아야   응. (주사위 굴림) 8. 8은 「갑자기 핸드폰」……**이제 핸드폰 싫다뇨로!**

GM   뭘 할 건가요?

마아야   「민속학 연구실」을 조사해볼까 했는데…….

류노스케   죽은 남자의 정보로군.

마아야   이 사람이 어떤 사람이었는지 궁금해

서. 아마다 씨라고 했지?

GM	전화는 **딱히 중요하지 않아요.**…… 어머니가 걱정되어서 건 전화였다고 해 둘까요.
마아야	응.
GM	「괜찮아, 어제 뭔가 위험한 일이 있었나 보던데.」
마아야	괜찮아, 엄마도 조심해. 그런 이야기를 하면서 민속학 연구실로 갑니다.
GM	마아야 양 본인도 민속학을 좋아했던 걸로…….
마아야	바로 그거야. 지난번에는《역사》를 골랐는데,《민속학》이 더 어울릴 것 같아서 바꿨어.
GM	찾아가 본 적은 있을지도 모르겠군요. 일반인용 공개강좌라든가.
마아야	모두에게 연락해두자. 지금부터 대학에 가서 민속학 연구실에서 잠깐 이야기를 들어볼까 한다고.
미노리	흠흠. 같이 가도 돼?
마아야	좋아. ……그렇게 됐으니 오고 싶은 사람은 장면에 나와.
타마코	나! 나!

딱히 중요하지 않아요.
괴기현상과는 별 관계가 없다는 의미. 조용한 장면에서 울리는 핸드폰으로 불길한 예감을 부추겼으나, 정작 들린 건 어머니의 목소리였다.

미노리	몇 시쯤 올 건데? 시간 맞춰두자.
타마코	……….
마아야	뭘 그렇게 고민해?
타마코	신경 쓸 필요 없어. 이걸 어떻게 연결해야 앞뒤가 잘 맞을지 고민하고 있을 뿐이니까.
류노스케	나도 어쩌면 아는 사이였을 수도 있으니 따라갈까.
GM	그럼 다 함께 민속학 연구실에 왔습니다.
마아야	음.
GM	아마 경찰도 왔었겠지만, 지금은 없네요. 조수로 보이는 남자가 바쁘게 움직이고 있습니다. 「사람이 한 명 죽었다구요. 보는 건 괜찮지만, 너무 어지럽히지 말아 주세요. **지금 손을 뗄 수 없다구요.**」
마아야	아마다 씨가 주로 뭘 연구했는지, 이상한 점이 없었는지 묻고 싶은데요. 묻고 싶은데. 그런 혼잣말을 입에 달고 다니는 사람이면 남들하고 회화도 제대로 성립하지 않았을 텐데, 그런 사람이 비상근 강사였다고 생각하기 힘들어.
미노리	대학교수 중에는 그런 사람 **꽤 있지만**

꽤 있지만
편견.

	말이지.
마아야	어, 그래?
미노리	그치?
타마코	**응**.
류노스케	그 조수, 바빠 보여?
GM	바빠 보여요.
류노스케	구체적으로 어떻게 바빠 보이는데?
GM	옆의 자료실에서 자료를 꺼낸다든지 하는 것 같네요.
류노스케	「그거 도와줄 테니까, 그 사이에 개한 테 이야기를 좀 들려주세요.」 **판정에 +1 정도 받을 수 없을까?**
GM	과연. 으음……. 알았습니다. 우선 굴 려봅시다.
마아야	《민속학》으로 굴릴게. (주사위 굴림) 성공했어.

응
편견.

GM은 「민속학 연구실」의 【비밀】을 마아야에게 건넸다.

마아야　확산정보였네.

● **장소:** 민속학 연구실
【비밀】 호러 스케이프. 확산정보.
책상 위의 자료를 보니 아마다 강사가 필드워크

중에 인터뷰를 했던 인물의 이름이 보인다.
「시노하라 마야」……마아야의 할머니다.

마아야　……할머니였어.

일동　어?

마아야　「시노하라 마야」. 즉, 이 사람은 우리 할
머니를 상대로 인터뷰를 했던 거야.

● **인물:** 시노하라 마야

【개요】마아야의 할머니. 지역 전승에 밝다.

미노리　뭐를?

마아야　몰라.

타마코　뭘 연구했던 걸까?

마아야　그런데 호러 스케이프라는데, 뭔가 무
서운 일이 일어나는 걸까.

GM　**모처럼의 좋은 기회**니까 류노스케 군의
묘사를 넣어볼까요. 조수를 도와주겠
다며 자료실에 들어가면…….

일동　(웃음)

미노리　뭔 일이 일어났구나.

GM　자료실 안은 책장부터 바닥까지 자료
가 잔뜩 뒹굴고 있네요.

류노스케　무슨 지진이라도 났나?

GM　게다가 벽 한 면에 온통 낙서가 되어

	있어요.
미노리	누가 가택 수색을 한 게 아니라?
류노스케	뭐지? **경계하면서** 조용히 안으로 들어가겠어.
GM	네. 안에 들어가서 선반 사이로 들여다보면…… 안쪽의 벽에서 **눈이 검은 여자가 당신을 내려다보고 있습니다**.
류노스케	우오오오!?
일동	꺄──!?

경계하면서
지금까지 질리도록 고생한 게이머 특유의 방어 본능.

선반 너머를 본 순간 전신에서 핏기가 가셨다.

눈이 검은 여자가 거기에 있었다.

무시무시한 염(念)이 담긴 검은 시선이 류노스케를 꿰뚫는다.

바로 깨달았다. 진짜가 아니야. 그림이다.

여자의 그림이 막다른 벽에 그려져 있다.

후려치듯이 거칠게 마구 그린 얼굴에서 여자의 눈이 증오를 품고 시커멓게 물들어 있었다.

여자의 그림 앞에 서 있는 것은 아까의 그 조수였다.

중얼거리는 목소리가 류노스케의 귀에 닿는다.

「한 명 죽었다구요. 손을 뗄 수 없다구요. 죽으면 되는 거죠? 네. 그러니까, 손을, 뗄 수 없다니까요. 너도 죽으면 좋을 텐데. 이쪽을 봐, 이쪽을 보라고, 보라니까? 눈을, 눈을 봐, 눈을.」

네 명의 손님

NOW
바로 지금이라는 의미.

GM	의미를 알 수 없는 말을 중얼거리면서, 아까의 조수가 붓을 들고 눈이 검은 여자를 그리고 있습니다.
미노리	지, 지금? **NOW**?
GM	NOW.
타마코	아까 말을 건 그 조수?
GM	네.
류노스케	「이봐요?」 뭐가 어떻게 된 거지?
GM	다가가서 어깨를 툭 치니까 **거품을 물며 그 자리에서 졸도합니다.**
류노스케	이런. 이번에는 피해자가 많은걸.

전염계
저주가 전염병처럼 감염되는 타입의 공포물이라는 의미.

타마코	**전염계**다!
GM	《민속학》으로 공포판정을 해주세요.
류노스케	6이지? (주사위 굴림) 오, 실패했다. 으어어, 누가 부적을!
미노리	내가 쓸게!
GM	에이, 모처럼 실패했는데. 아직 【광기】 카드가 이렇게 많다고요?
마아야	필요 없는데?
류노스케	필요 없어.
GM	모처럼의 리플레이잖아요. 얌전히 실패하시죠?

80

류노스케	허나 거절한다! (주사위 굴림) 하아! 다행이다. 고마워.
GM	쇼크를 1점 받으세요. 류노스케 군이 **재치있게 대응한 보너스**로, 이 광경을 다른 사람들에게는 보여주지 않을 수 있습니다.
류노스케	오케이. 뭐, 안 보여주는 걸로.
GM	사실은 이 장면에 등장한 사람 전부가 쇼크를 받아야 하지만요.
미노리	이야기는 해줄 거야?
류노스케	이야기 정도라면. 일단 등 뒤로 자료실 문을 닫아.「안에 사람이 쓰러졌으니까 구급차 불러줘.」
미노리	「여보세요? **또** 아기타 대학인데요. 또 사람이 쓰러졌어요! 민속학 연구실 쪽인데요.」
마아야	또는 빼.
류노스케	「여기, 절대 열지 마.」
GM	그리고 당신에게는 이걸 드리지요.

GM은 류노스케에게 「붓」의 핸드아웃을 건넸다.

- **프라이즈: 붓**
【개요】 타마코가 사용했던 붓. 타르처럼 새까만 물감으로 끈적끈적하게 더럽혀졌다. 가지고 있으

재치있게 대응한 보너스
플레이어의 아이디어는 가능한 한 살려주기 바란다.

여기, 절대 열지 마
그런 메모가 붙어있는 문 너머로 어머니가 가버린 지 3년이 지났다. 문 너머는 욕실이다. 밤마다 어슬렁거리는 소리가 들리는 걸 보면 살아있기는 한 것 같지만, 그것 말고는 알 방법이 없다. 아버지와 여동생도 각자의 욕실에 틀어박혀서 이 넓은 집에 있는 건 나 혼자다. 하지만 슬슬 나도 메모를 남기고 욕실에 들어갈 때가 다가오고 있다는 것이 느껴진다.

81

면 뭔가를 그리고 싶어진다.
 이 프라이즈의 【비밀】을 보면 붓을 사용해버린다.

류노스케	뭘 이런 걸 다. (웃음) ……이 핸드아웃의 【비밀】은 봐도 되는 거야?
GM	봐도 되긴 하는데, **보면 붓을 사용해버려요.**
류노스케	아아, 응. 그냥 안 볼래.
마아야	미안, 류 오빠. 원래대로라면 이거 내가 당해야 했는데.
류노스케	그건 상관없어. 전혀 상관없는데…… 상황이 참……그러네.
타마코	저주의 트리거는 뭘까? 전염되는 건 확실한데.
류노스케	함부로 건드리면…… 다른 사람에게도?
미노리	저기, 이거 **타마코가 사용했던 붓**이라고 적혀 있어!
GM	맞아요. 타마코 양, 당신의 손에서 어느샌가 사라졌던 붓이에요.
타마코	**에에엑!**
류노스케	어떡할까. 숨길까.
마아야	우리야 이게 타마 건지는 모르지 않을까?

류노스케	아마도 타마의 이름이 적혀있을 테니까, 그걸 재빨리 챙겨서 개인적으로 숨겨야겠어.
미노리	나랑 마아야 언니에게도 감추려고?
류노스케	아니, 경찰이나…… **그런 쪽**한테서 숨기려고.
타마코	내 붓이 왜 여기에 있지?
류노스케	그 여자의 그림을 그리고 있던데.
미노리	누가?
류노스케	조수가.
타마코	오오?
미노리	류 오빠, 아까 그 이야기 해도 될까? 전화 왔을 때의 그거.
류노스케	이쯤 오면 숨겨봤자 별 의미도 없으니까……. 그럼 눈이 검은 여자의 정보를 공개할게.
마아야	관계없다고 생각했는데, 관계가 있었어?

류노스케는 「눈이 검은 여자」의 【비밀】을 공개했다.

● **인물:** 눈이 검은 여자

【비밀】 사사하라 키누코(笹原絹子). 류노스케에게 원한이 있어서 저주를 걸었다.

그런 쪽
요컨대 경찰이다.

네가 원인이냐!
모두 실컷 고생했으므로, 원인이면서도 입을 다물고 있던 류노스케에게 불만을 품게 된다. 하지만 이야기하고 싶어도 이야기할 수 없는 시스템이 바로 『인세인』이다.

83

일동	………….
마아야	이거 누구?
타마코	**네가 원인이냐**!
일동	(웃음)
류노스케	거기에 관해서는…… 그 여자에 관해서는 자세히 이야기할 수 없지만.
일동	에에에.
미노리	류 오빠의 【비밀】을 봐야 할까?
타마코	모든 것의 원인은! ……그, 뭐더라?
마아야	류 오빠, 왜 저주를 받았는지 짚이는 데 있어?
류노스케	……**에헤헤**. (웃음)
일동	있구나!
미노리	지금 끄덕였어!
마아야	때가 되면 이야기할 거라고…… 생각할게.
타마코	당신의 친구 세 명 운운한 그거, 우린 그냥 일방적으로 말려든 거네?
류노스케	글쎄.
타마코	아니아니아니. **실제로 그렇잖아**?
류노스케	으음…….
타마코	맞지?

류노스케	아마도.
미노리	류 오빠. 이 사람 알아? 지인?
GM	아는 사이에요.
미노리	전 여친?
류노스케	전 여친은 아니야.
마아야	딱 잘라 말했어.
타마코	이 여자 누구지? **평범한 인간은 저주를 걸 수 없을 텐데**.
류노스케	으으음.
미노리	류 오빠의 【비밀】을 알아내지 않으면 알 수 없을 거야, 분명.
류노스케	뭐어, 뭐랄까, 협력적인 사람은 아니야.
일동	………….
타마코	그나마 좋은 소식은 인간이라는 거네.
마아야	이름이 있다고 인간이라고 단정할 수는 없지 않을까?
타마코	평범한 인간은 아니지만 적어도 실체는 있는 거지?
미노리	그 여자, 류 오빠가 알고 지냈을 때도 **흰자위 없었어**? 이미 검은 눈동자?
GM	아무리 그래도 그건 아니겠죠. (웃음)
류노스케	평범한 여자였어.

평범한 인간은 저주를 걸 수 없을 텐데
효과가 있는 저주를 거는 데에는 기술이 필요하다.

흰자위 없었어?
원령으로 분장해서 여름의 사랑을 성취해주려고 했을지도 모른다.

마아야	어디에 사는 사람?
류노스케	그건 나도 몰라.
미노리	아무튼 **태어났을 때부터 흰자위가 없는 타입의 사람**은 아니었다는 건데…….
GM	(웃음)
타마코	사정이 있어서 저렇게 되었나?
미노리	그럼 유령일지도 몰라.
마아야	저주를 풀지 못하면 어떻게 되더라?
미노리	사흘 후에 죽는다고 했어. 류 오빠가.
류노스케	**솔직히 미안하게 생각해.** (딱 잘라)
일동	에————!
타마코	너냐!
류노스케	그 이상은 말 못 해.
마아야	그런 말로 넘어갈 문제가 아니잖아, 죽는다고!
류노스케	**말 못 한다니까아아!**
일동	(웃음)
류노스케	내 【사명】상 저주가 존재하는지 확인해야 한다고.
미노리	존재하는 거 아니야?
마아야	저주를 걸었다고 **적혀 있잖아?**

솔직히 미안하게 생각해
굉장히 남자답게 딱 잘라 말했다.

적혀 있잖아?
【비밀】에 적혀있는 것은 다른 【비밀】 등으로 바뀌지 않는 한 게임상에서는 진실이라고 생각해도 좋다. 즉, 사흘 후에 죽는 저주가 실제로 존재할 확률이 매우 높다.

류노스케	말려들게 해서 미안해. 내 목숨을 걸고 모두를 지킬게.
미노리	여보슈.
타마코	붓 이리 줘 내가 가지고 있을래.

류노스케는 프라이즈 「붓」을 타마코에게 건넸다.

3. 그 남자는 죽었어 ●●●●●●●●●

원래대로라면 타마코가 행동할 차례이지만, 타마코가 고민 중이라서 류노스케가 먼저 행동하기로 했다.

류노스케	가토 군의 친구인 「쿠로사키 코타로」를 찾아갈까 하는데. 가토 군에게 사진을 받았다지?
미노리	아, 나도 코타로한테…….
류노스케	그럼 둘이서 갈까.
미노리	그래. 솔직히 타마의 손을 놓고 싶지는 않지만.
타마코	그래도 이번에는 어떻게든 **괴이 탐지기**가 되는 꼴은 면한 것 같네. ……아닌가?
류노스케	쿠로사키 군은 대학에 있을까?
GM	글쎄요. 우선 장면표를 사용해보세요.
류노스케	(주사위 굴림) 5. 「TV에서 뉴스가……」

괴이 탐지기
영문 모를 사건에 휘말리거나, 영문 모를 뭔가에게 습격당할 뻔하는 등 충분히 조건은 갖추고 있는 것 같다.

미노리	대학에서 연이은 구급차 소동.
마아야	와이드쇼처럼 됐네.
GM	「**탈법 허브**가 아닐까요?」
미노리	잘난 척하는 얼굴의 해설자가. (웃음)
류노스케	정보 참 빠르네. (웃음)
타마코	누가 흘리고 있는 거 아니야? (웃음)
GM	쿠로사키 군은 가토 군이 입원한 병원에 있다고 하지요. 아기타 시내의 **조합병원(組合病院)**입니다.
마아야	함께 가는 게 나을까?
류노스케	【이성치】가 위태롭지 않다면.
미노리	위태로운데…….
타마코	엄청 위태롭지.

 따로 행동하는 것도 검토했지만, 결국 다 함께 가기로 했다.

마아야	**부웅**. 모두를 차에 태우고 가자.
미노리	차 안에서도 질문 공세. 저기, 류 오빠. 어떻게 된 거야?
류노스케	**(눈을 피하며)** 날이 저물고 있군. 빨리 병원에 가야겠어.
일동	(웃음)

탈법 허브
정체를 알 수 없는 풀에 아직 법적으로 규제되지 않은 합성화학물질을 물들인 것. 규제가 시작되면 신형을 개발해서 항상 법을 앞지르고 있다. 리플레이 수록 후에 「위험 드러그」로 명칭이 변경되었지만, 따로 수정하지 않고 그대로 남겨둔다.

조합병원(組合病院)
아기타 후생농업 협동조합 연합회에 의해 설립된 종합병원. 쇼와 초기에 세계공황이나 흉작으로 곤궁해진 농민들이 함께 출자금을 내서 개원한 것이 시작.

부웅
주행음.

미노리	나중에 제대로 설명을 해주셔야겠어.
류노스케	어어……. 쿠로사키 군에게 이야기를 듣는 거지? 미묘하게 쓰기 어려운 특기밖에 없네.
GM	정보수집에는 적성이 없군요. (웃음)
류노스케	부수는 쪽밖에 재능이 없는 걸까.
GM	**병원에는 《죽음》의 기척이 충만하다**…… 라고 하면 어때요?
류노스케	이번에는 《소리》로. (주사위 굴림) 성공이다. 쿠로사키 군까지 이상해질지도 모르지만, 별수 없지.
GM	가토 군의 병실 앞에서 쿠로사키 군과 만날 수 있었습니다.

병원에는 《죽음》의 기척이 충만하다
호러랍시고 너무 대충이다.

GM은 류노스케에게 「쿠로사키 코타로」의 【비밀】을 건넸다.

● **인물:** 쿠로사키 코타로
【비밀】 확산정보. 쿠로사키는 말한다——
「어떤 무서운 괴이가 재앙을 흩뿌리면서 돌아다니고 있다.

아마도 뭔가를 찾고 있는 것 같다. 가토에게 받은 이 사진도 그중 하나로 보인다.

어딘가에 이 모든 것을 계획한 녀석이 있다. 사진을 미끼로 그 괴이를 사역하여 대규모의 저주를 건 녀석이.

어떻게든 사진을 올바른 장소에 되돌려 놓으면 저주가 반전되어, 재앙이 저주를 건 녀석에게 되돌아 갈 것이다.

하지만…… 어떻게 해야 할지, 나로서는 알 수 없다.」

프라이즈 「심령사진」을 양도받을 수 있다.

쇼크: 전원

마아야	끄악! **확산정보로 전원 쇼크**라니.
GM	네. 여러분 모두 【이성치】를 1 감소하세요.
타마코	이거 위험한데.
류노스케	어떤 무서운 괴이가 재앙을 흩뿌리며…… 뭔가를 찾고 있다? 이 사진도 그중 하나인가?
미노리	하나라는 건 다른 것도 있다는 거네.
류노스케	뭐지, 쿠로사키 군? **너무 자세히 아는데.**
GM	쿠로사키군은 「네에, 뭐.」라며 말을 흐립니다.
류노스케	흐음? 영감(靈感)이 있다거나, 그런 쪽인가?
마아야	쿠로사키 군, 사진 가지고 있구나!
GM	네. 이런 느낌이에요.

● **프라이즈:** 심령사진

【개요】 어두운 실내에서 찍은 것으로 보이는 사진. 누군가가 찍혀 있는 것 같은데…….

미노리	**사진! 나 줘!**
류노스케	어어…….
미노리	그 사진, 내가 가질래!
마아야	엑?
미노리	내가 찍었다잖아.
마아야	저주받은 사진 아니니, 그거?
류노스케	이거, **뒷면 봐도 돼**?
GM	돼요. (히죽히죽)

혼자서 「심령사진」의 【비밀】을 본 류노스케가 신음을 흘렸다.

류노스케	**우와**……. 이건…….
GM	류노스케 군, 【광기】 가지고 있던가요?
류노스케	아직 없어.
GM	그럼, 여기. (【광기】를 한 장 건넨다)
일동	**(웅성웅성)**

뒷면 봐도 돼?
게임 내에서는 「굉장한 심령사진을 확인하는 것」이 곧 심령사진의 【비밀】을 보는 것이라고 간주했다.

마아야	뭐야? 뭐지, 저거? 사진, 포기하는 게 낫지 않을까?
미노리	아니, 내가 가질래.
마아야	**아니아니아니.**
미노리	하지만 사진을 달라는 남자가 나를 찾아왔는걸.
마아야	그 남자는 죽었어.
미노리	**아니아니아니아니아니.**
마아야	봐, 류 오빠 【광기】 받았잖아. 포기하는 게 좋다고.
류노스케	각오가 되어 있지 않다면 안 보는 게 좋아.
미노리	안 볼 수도 없으니까 보여줘.
마아야	엑! 보여줄 거야? 그러지 마! 난 안 볼래.
타마코	나는 봐야지.
마아야	너희, 볼 거야?
미노리	내가 보면 【감정】으로 공유가 되어서 타마도 **자동으로 보게 되거든.**
일동	(웃음)
류노스케	일련탁생인가…….
미노리	받아도 될까?
류노스케	……뭐, 좋아. 후회할 거라고 보지만.

아니아니아니
포기하는 게 낫지 않을까?

아니아니아니아니아니
꼭 그렇다고는 할 수 없어.

자동으로 보게 되거든
자신만만하게 딱 잘라 말했지만, 꼭 그렇다고는 할 수 없다. 타마코는 미노리에게 【감정】을 가지고 있지만, 미노리가 얻은 【정보】를 보지 않을 수도 있다.

류노스케는 미노리에게 「심령사진」을 넘겨줬다.

● 프라이즈: 심령사진

【비밀】 폐가 안의 다다미방에 검고 커다란 불단 (佛壇)이 놓여 있다.

그 앞에 류노스케가 멍하니 서 있다.

류노스케의 목은 부자연스러운 각도로 꺾였고, 얼굴은 일그러졌고, 눈은 새까맣다.

등 뒤에 있는 불단에는 사진, 뚜껑이 덮인 하얀 찻잔, 붓이 모셔져 있다.

불단의 문 틈새에서 눈을 크게 뜬 미노리, 마아 야, 타마코의 머리가 포개져서 무표정하게 이쪽을 바라보고 있다.

세 사람의 머리 뒤에서는 무슨 생물 같은 것이 불단 바깥으로 기어나오려고 한다.

쇼크: 전원. 【광기】를 무작위로 한 장 현재화한 다. 가지고 있지 않다면 【광기】를 한 장 얻는다.

미노리·타마코	우…… **우와아아아!** (비명)
류노스케	그래서 보지 말라고 했는데…….
미노리	이게 뭐야! 뭐냐구! 기분 나빠!
타마코	이, 이건 확실히, **굉장한 심령사진**인데.
마아야	뭔지는 모르겠지만 안 보길 잘했다.
타마코	……알겠어. 아직 우리가 해야만 하는 일이 하나 있구나.
미노리	그, 그래? 난 잘 모르겠는데.

타마코	이걸 봐. (심령사진의 【비밀】을 가리키면서) **이것**이 있고, **이것**이 있잖아? 그런데 **이것**이 없어.
미노리	……없네.
마아야	뭔데?
GM	두 분에게는 쇼크와 【광기】를 **드리겠습니다.**
타마코	감사합니다.
미노리	감사합니다.

드리겠습니다
사업가가 명함을 건네는 듯한 동작이었다. 어른력(力)이다.

타마코와 미노리, 류노스케는 속닥거리며 상담했다.

미노리	……그러네. 아마 그럴 거야.
타마코	기한 이내에…….
류노스케	그리고 **이것**을 찾아야겠네.
미노리	마아야 언니에게도 대략적인 것은 전해둘까. 저기 말이야.
마아야	응.
미노리	사진 말인데, 방 안을 찍은 사진이야.
마아야	응, 뭔가가 찍혀있다고 했지.
류노스케	우리는 물건을 하나 더 찾아야 해.
미노리	사진 안에 아이템이 찍혀 있는데, 아까

의 **붓**이 있었어.

마아야	오오.
미노리	붓이랑……. 그리고 **사진**도 찍혀 있어.
마아야	찍힌 건 인물이 아니야?
미노리	인물도 찍혀 있어.
마아야	심령사진 아니야?
미노리	심령사진…… 이려나?
류노스케	이상한 건 **사진이 찍혀있다**는 점이지.
마아야	사진 안에 그 사진 자체가 찍혀있다고?
GM	음, 그러네요. 그래서 이상한 사진이긴 합니다.
미노리	사진 안의 사진 안의 사진 안의…… 예삿일은 아니지만, 알기 쉬운 심령사진이 아니었어.
마아야	흐으음.
타마코	아마 일련의 사건이 일어난 계기…… 혹은 이 상황이 발생하기까지의 원인? 준비? 요는 그런 스타트 지점에 관한 사진인데…… 이걸 괴이가 찾고, 이 아이템들을 반납해서 사건이 해결된다면……아직 하나가 부족해.
마아야	그게 뭔지 말하면 【비밀】이 공개되어 버릴지도 모르는 거야?

미노리	그러려나.
마야	저주를 건 사람은 사사하라 씨?
미노리	그렇지 않을까?
류노스케	아마도.
마야	사진에 찍혀있는 그 인물은 우리야? 아니면 관계자?
미노리	<u>으으으음.</u>
마야	본 적 있는 얼굴이 찍혀 있거나, 우리가 직접 찍혀 있어?
미노리	<u>으으으음.</u>
마야	그것도 말하지 않는 편이 나아?
미노리	<u>으으으음.</u>
GM	사진을 보여주면 되잖아요. (**히죽히죽**)
마야	아니, 그럴 필요는 없어.
미노리	내 입으로는 말하고 싶지 않은데.
타마코	우선 저주의 타깃이 있고, 그 타깃을 노리기 위한 아이템이 찍혀있는 걸 거야. 뭔가 **의식 같은 것**을 표현하고 있는 것 같은데.
류노스케	이 사진을 「올바른 장소」에 돌려놓아야 한다면, 돌려주는 데 필요한 정보가 뭘까?

미노리	죽은 아마다 씨는 저주를 풀려고 했던 걸까?
타마코	마아야 언니네의 할머니에게 물어보면 뭔가 알 수 있지 않을까?
마아야	할머니 무사하실지 모르겠네.
류노스케	연락을 해보는 게 좋겠어.

4. 꺼림칙한 걸 보고 있어 ● ● ● ● ● ● ● ● ●

GM	그럼 타마코 양의 장면입니다.
류노스케	코타로는 피해가 없었어.
마아야	무사하구나!
타마코	장면표 쓸게. (주사위 굴림) 2.
GM	「갑자기 주위가 어두워진다. 정전인가? 어둠 속에서 누군가가 당신을 부르는 소리가 들려온다.」
마아야	밤이다, 밤.
미노리	얘! 타마아!
마아야	**자주 누가 부르네.** 지난번에도 그랬고.
타마코	날이 저물고, 앞에서 안내하던 마아야 언니가 "빨리 와!" 라며 나를 불렀다! 그래, 이건 무서운 이야기가 아니야! **(필사적)**
GM	네.

자주 누가 부르네
타마코는 이름이 불릴 때마다 안 좋은 일만 당했다.

97

마아야	**뭐야, 그게.** (웃음)
타마코	할머니 댁에 가서 이야기를 듣고 싶은데, 소개 좀 해줘.
류노스케	할머니는 함께 살고 계셔?
마아야	따로 살아. 가게와는 다른 곳에서 살고 계시니까…… "할머니, 지금 가서 이야기 좀 들을 수 있을까요?"라고 전화해둘게.
타마코	아니, 잠깐만. 할머니에게 어떻게 설명해야 하지?
미노리	그냥 아마다 선생님한테 무슨 이야기를 했는지 물어보면 되지 않아?
류노스케	다 함께 갈까?
마아야	갈래! 어차피 병원에서 그대로 차로 갈 거잖아.
미노리	가는 길에 선물을 사갈게. **아기타 만쥬**면 되겠지.
GM	할머니 댁은 시내인가요?
마아야	딱히 이상한 장소는 아니야. 가게에 살지 않고 조금 떨어진 곳에 사는 정도.

아기타 만쥬
무화과, 백합 뿌리, 댑싸리 열매, 블루베리, 도루묵 등 괴상한 종류의 만쥬. 선물에는 딱 좋다!

아기타 시의 지도(이 책 p191에 수록)를 펼치고 마아야의 할머니댁이 어디인지 이야기를 나누는 일동.

마아야   논에 둘러싸인 여기쯤일까. 도서관 쪽.

류노스케   좋아, 어서 가자.

마아야   부웅~ (**운전하는 소리**)

GM   네. 할머니 댁에 도착했습니다.

타마코   아마다 씨에게 뭘 이야기했는지 들어 보고 싶어.

미노리   할머니를 조사하면 알 수 있을까?

GM   네.

류노스케   할머니, **아기타 사투리가 심하다**고 했 었지?

GM   그랬지요.

타마코	이런, 네이티브 아기타 방언이다.
미노리	**무슨 말인지 못 알아듣겠어**!
타마코	그럼 어떤 특기를 써야 할까.
미노리	(타마코의 캐릭터 시트를 들여다보며) 《걱정》으로 판정해보면?「이런 일이 있어서 걱정이에요.」라고. 어쨌거나 모두의 쉼터가 살인현장이 됐으니까…….
마아야	**살인 아니야**!
타마코	그럼 《걱정》으로. (주사위 굴림) 미안, 실패했어.
류노스케	부적 써줄게.
타마코	고마워. (주사위 굴림) 또 실패했다!
일동	에에…….
류노스케	**그럼 부적을 하나 더** 쓰겠어. 시간이 아까워.
타마코	(주사위 굴림) 다행이다, 성공.
미노리	역시 알아듣기 힘들었구나.
GM	네, 여기요.

GM은 타마코에게「시노하라 마야」의 【비밀】을 건넸다.

미노리	할머니한테 시내에서 사 온 **크림치즈 케이크**를 드리자.

무슨 말인지 못 알아듣겠어
세대 차이는 무시할 수 없어서, 마아야조차 못 알아듣는 경우가 종종 있다.

그럼 부적을 하나 더
캐릭터를 제작할 때 받은 추가 공적점으로 아이템을 산 사람이 많아서, 제법 부적이 많은 파티가 되었다.

크림치즈 케이크
어라? 아기타 만쥬는?

GM	기뻐하네요.
미노리	「마아야 언니한테는 항상 신세를 지고 있어요!」
GM	우리가 더 고맙제.
미노리	**지금 것은 알아들었다**!
류노스케	「저녁 시간에 들이닥쳐서 죄송합니다.」
타마코	(【비밀】을 읽으며) 아, 이거 확산정보였어. (휙)

지금 것은 알아들었다 그랴.

● **인물:** 시노하라 마야

【비밀】확산정보. 마야는 말한다.

「고약한 여자가 옛 신의 신체(神體)를 훔쳐서 달아났어.

그 여자는 신체를 셋으로 나눠서 사람들에게 맡겼지.

신께서는 신체를 되찾으려 했지만, 어디에 있는지 알 수 없어서 신체와 연관된 자들을 닿는 대로 저주하고 있단다.

세 조각을 모아서 신께 돌려줘야 해.」

……그렇게 말하며, 마야는 신을 부르는 이름을 가르쳐준다.

그 이름은「오사다고와」.

류노스케	「고약한 여자」…… 사사하라 키누코인가?

타마코	쿠로사키 군의 이야기와도 일치하네.
마아야	세 개의 물건을 모아서 그 신……「**오사다고와**」를 부르면 된다는 이야기?
류노스케	셋이라. 사진이랑, 붓이랑, 또 하나.
미노리	사진에 찍혀있던, **찻잔**?
마아야	………….
타마코	할머니가 민속학 선생님한테 답례로 받은 물건 같은 건 없어?
GM	특별한 건 없나봐요.
류노스케	물건을 돌려놓아야 하는 장소가 있으려나.「오사다고와 신사」같은 곳 없어?
미노리	그건 인터넷으로 조사해볼게.
GM	주사위를 1개 굴려주세요.
미노리	1개? (주사위 굴림) 1인데?
GM	네. (그렇게 말하며 천천히 『**Role&Roll**』지 111호를 펼친다)
미노리	(헉) 뭔가 보고 있어! **꺼림칙한 걸 보고 있어!** 당했다!

> **Role&Roll**
> 일본 신기원사에서 출간하는 TRPG 잡지의 이름

GM이 여기에서 참조한 것은 해당 잡지에 게재된 『인세인』의 서포트 기사, 호러 스케이프의 규칙이다. 조사판정을 할 때 무작위로 공포 장면을 삽입하는 규칙으로, 이 책의 규칙 파트에도 실려 있다.

GM	미노리 양은 인터넷으로「오사다고와」에 관해 조사합니다. 목이 말라서 페트병을 들고…….
류노스케	안 돼!
GM	한 모금 마셨더니 입안에 위화감이 퍼집니다. 견디지 못하고 뱉어내자 새까만 액체가 바닥을 더럽히고, 입안에서는 시궁창 냄새가 감돌아요.
미노리	우엑, 콜록콜록.
GM	그런 이상한 상황이 벌어졌습니다. 《맛》으로 공포판정을 하세요. -2의 수정이 적용됩니다.
미노리	(주사위 굴림) 성공. 퉤퉤. 이게 뭐야!
GM	동요하긴 했지만 【광기】는 받지 않았습니다.
류노스케	……이거, **조사하지 말 걸 그랬나?**
미노리	잘 모르겠지만, 난 더는 하기 싫어. 누구 아는 사람 없어?「오사다고와」.
류노스케	알아도 말 못 해.
타마코	할머니한테 다른 이야기를 더 들어볼 수는 없을까?
마아야	전승이라면 모르지 않을까.
류노스케	이거 전승이야?

GM	전승이라기보다는 지금 그런 일이 벌어지고 있다…… 는 식으로 이야기했어요.
미노리	NOW.
마아야	어? 그렇다는 건?
류노스케	……**할머니는 어떻게 알고 있는 거지?**
GM	그러게요.
타마코	할머니가 류 오빠와 동급으로 수상한 사람이 됐어.
미노리	할머니, 언제나 이런 느낌이야? 신의 목소리가 들리는 타입?
마아야	아니, 그렇지는…… 않지?
GM	**평소와는 조금 느낌이 다를지도** 모르겠네요.
마아야	으음, 뭔가 위화감이 느껴지는데……?

5. 단번에 세 사람 ●●●●●●●●

GM	이틀째가 끝났습니다. 또 마스터 장면이에요.
마아야	또, 또 나만 【광기】를 받는 거야?
GM	아뇨. 그렇지는 않아요.
마아야	휴우.

GM	이번에는 미노리 양, 마아야 양, 타마코 양까지 **세 명에게 【광기】를 드리겠습니다.**
일동	꺄아아아!!
류노스케	이, 이건……?
타마코	단번에 세 사람……? 무슨 일이 벌어진 거지?
GM	여러분이 자각할 수 있는 이상은 없습니다. 하지만 무의식중에 【마음의 어둠】이 착착 쌓이고 있어요. 마치 정신이 거무칙칙한 뭔가에 오염되어 가는 것처럼…….
마아야	이제 남은 【광기】 카드의 수는……?
GM	8장이에요.
류노스케	**반이 없어졌어.**
타마코	혹시, 이거…….
미노리	……저주의 효과?
마아야	확인하겠는데, 【광기】카드 덱이 없어지면 게임오버지?
GM	네.
류노스케	이건 위험한데, 서두르자.

◆ 메인 페이즈 제3 사이클(3일째)

1. 이것이 저주인가　•••••••

타마코　남은 핸드아웃이 뭐뭐 있지?

미노리　지금 남은 건 PC의【비밀】뿐. 어떡할까?

　미노리가 생각하는 사이에 마아야가 먼저 행동하기로 했다.

마아야　장면표 사용할게. (주사위 굴림) 10은 뭐야?

류노스케　「어딘가에서 풍겨오는 맛있는 냄새에 갑자기 배가 고파진다. 오늘은 뭘 먹을까?」

마아야　**우리 가게다**!

미노리　드디어 부활한 거야?

마아야　류 오빠의 비밀을 조사하러 가자. 조사 판정을 할 건데⋯⋯.

미노리　다 함께 있어도 될까?

류노스케　다 함께 있어서 곤란할 게 뭐 있어?

미노리　류 오빠의 비밀은 알고 싶어. 난 등장할래.

마아야　장면에 전원 나오게 해서 「영업 재개했어!」

일동　짝짝짝짝.

우리 가게다!
노란색과 검은색의 테이프를 치우고, 가게 바깥에 「축(祝) 영업 재개」라는 화환을 걸고, 저명한 인물들의 축전을 낭독했다.

마아야	모두가 가게에 있는 상태에서 「그런데 류 오빠 말이야, 뭔가 **숨기는 것**이 있는 것 같은데?」
류노스케	「슬슬 때가 됐군. 너희에게 이야기할 것이 있다.」 (웃음)
타마코	**정좌했어!**
마아야	잠깐 상황을 정리해보고 싶은데. 그러니까 《정리》로. (주사위 굴림) 아, 실패했어!
타마코	부적을 쓸게.
마아야	(주사위 굴림) 안 돼. 그래도 실패야.
타마코	하나 더 쓸게.
마아야	오! (주사위 굴림) 아아, 망했어!
미노리	하나 더 쓸게!
마아야	미안해. (주사위 굴림) 이번에는 성공했어.
류노스케	**이것이 저주인가!**
마아야	아무 말 하지 마! (웃음)

이것이 저주인가!
이 판정에만 부적이 세 개 날아갔다.

류노스케의 【비밀】을 보고 마아야가 이맛살을 찌푸렸다.

마아야	…………**하**?
류노스케	(웃음)

마아야	잠깐만. 이거 너무하지 않아? 너무하지? 그랬단 말이지? 쇼크……. 【이성치】가 1 줄었어.
미노리	뭔데 그래?
마아야	엄청난 쇼크를 받을 텐데 괜찮겠어?
미노리	알아두는 게 좋을 것 같아?
마아야	**까놓고 말해서 별로**…….
미노리	그걸 알면 사태가 해결돼?
마아야	그다지 안 될걸.
미노리	안 되는구나.
타마코	그냥 류 오빠의 **글러 먹은 에피소드**였다면 좋을 텐데.
류노스케	(웃음)
마아야	이거, 너무하다고!
미노리	장소에 대한 정보는……?
마아야	없어! 보기에 유익한 정보는 없었어.
미노리	그래…….
마아야	일단은 지금까지의 방침대로 노력하는 수밖에 없겠어.
일동	(웃음)
마아야	발단이 류 오빠였다는 건 잘 알았어.
미노리	류 오빠의 전 여친?

마아야	으음, 그건 모르지?

질이 나쁜데
「옛 연인에게 원한을 사고 있다」보다 「애초에 연인이었다는 자각이 없다」가 여성의 평판이 더 내려간다. 공부가 되네요.

타마코	에? 몰라? 그건 더 **질이 나쁜데**…….
마아야	그러게! (웃음)
미노리	와아…….
타마코	입 다물고 있다가 글러 먹은 남자라는 의혹이…….
류노스케	예전에 트러블이 있었달까……. 참고로 **연애는 아니었어.**
미노리	마린의 점내를 빙 둘러보자. 예의 그것으로 보이는 건 있어?
GM	아뇨. 없네요.
마아야	그것?
미노리	세 번째 아이템.
류노스케	사진에 찍혀 있던 찻잔 말이지.
타마코	할머니한테 세 번째 아이템에 관해 물어봐도 될까?
GM	할머니는 모릅니다.

2. 광기를 받아버리거든 ●●●●●●●●

미노리	장면표는 (주사위 굴림) 8이야.
GM	**또 핸드폰입니다.**
미노리	이제 핸드폰은 싫어!

타마코	전화가 저주하고 있어.
GM	**누가 건 전화일까요?** (웃음)
미노리	하지만 사건 관련은 아닐 거야! 학교에서 「연이어서 사건이 일어나고 있으므로 내일 오전은 휴강입니다」라는 연락이라도?
마아야	반가운 연락이네. 하지만 대학은 전화로 연락해줄 정도로 친절하지 않지.
GM	그럼 친구가 전화를 돌리고 있다고 할까요?
류노스케	휴강한다는 벽보가 붙어있더라! 라고.
미노리	알려줘서 고마워!
GM	그리고 보면 지난번에 트위터에서 어느 대학교 교직원이 쓴 글을 봤는데, 학생들 사이에서 출처 모를 휴강 연락이 돌아서 자기들 멋대로 휴강했다네요.
타마코	이 휴강 연락을 믿어도 될지 불안해지네. (웃음)
미노리	타마가 건 전화니까 믿을 수 있어!
타마코	나였냐. (**경악**)
미노리	오늘은 휴강이니까 **느긋하게 수다**를 떨어도 괜찮겠지?
마아야	괜찮지 않을까? 영업도 재개했고.

누가 건 전화일까요?
이제 전화 관련의 소재가 떨어져서 대놓고 플레이어에게 묻고 있다.

느긋하게 수다
뭔가 저주받고 있는 것 같긴 하지만, 오늘은 휴강이니까 단골 카페에서 친구와 우아한 티 타임.

111

미노리	이번에는 역시 마아야 언니의 비밀을 조사할래. 「마아야 언니, 쓰러진 사람 정말 몰라? 관계없어?」
마아야	모르겠는데?
미노리	정말일까? 《추적》으로 (주사위 굴림) 성공.
마아야	모르겠어. 모르겠지만…….

마아야는 자신의 【비밀】을 미노리에게 건넸다.

| 미노리 | 과연. 모르는구나. 하지만 이건 정말로 중요한 정보니까 공개할게. |

PC② (시노하라 마아야)

【비밀】 죽은 남자는 작은 찻잔을 넘겨달라고 했다. 하지만 넘겨줄 수 없다. 이것은 매우 귀중한 물건이다.

언젠가부터 가게에 있던 이 찻잔은 진짜 주인이 따로 있다. 당신은 어째선지 그것을 알 수 있다.

당신의 【진정한 사명】은 이 찻잔을 진짜 주인에게 돌려주는 것이다. 그때까지 이 찻잔은 소중히 숨겨놔야만 한다.

이 【비밀】을 누군가가 봤을 때, 프라이즈 「뚜껑이 달린 찻잔」이 당신의 수중에 나타난다. 그때, 【광기】가 한 장 현재화한다(없다면 【광기】를 한 장 얻는다).

류노스케	오오.
미노리	**과연!**
GM	이 【비밀】을 남이 봤으므로, 마아야 양에게는 【광기】를 한 장 드리겠습니다.
마아야	**별수 없지.**
GM	그리고 이것이 당신의 손에 들어옵니다.

● **프라이즈:** 뚜껑이 닫힌 찻잔
【개요】손바닥 위에 올릴 수 있는 사이즈의 하얀 찻진.
뚜껑이 닫혀 있다. 【비밀】을 보려면 뚜껑을 열어야 한다.

류노스케	찾던 물건을 발견했다.
미노리	**마아야 언니의 【진정한 사명】은 이것을 진짜 주인에게 돌려주는 거구나.**
마아야	그렇다니까. 이해관계는 일치했지만, 들키면 【광기】를 받아버리거든. **이미 받아버렸지만**.
류노스케	**사진이나 붓과 마찬가지로 이것도 형태를 바꾼 신체의 파편이겠지.**
미노리	주인에게 돌려줄 때까지 소중히 들고 있어.
타마코	**좋아. 이제 이 세 개의 아이템을 「오사다 고와」에게 돌려주기 위한 장소를 찾자.**

미노리	그 찻잔에 【비밀】이 있을 것 같은데.
마아야	붓과 마찬가지로 【비밀】을 보려면 이 걸 사용해야 해. 뚜껑을 열어야만 한다 는 거지.
미노리	역시나.
류노스케	가능하면 안을 보고 싶긴 한데……. 사 진의 【비밀】이나, 붓을 사용한 조수가 어떻게 되었는지를 보건대 열면 위험 할 것 같아.
타마코	함정의 냄새가 나.
미노리	이건 안 보는 게 낫겠네.

　일동은 세 개의 프라이즈를 「오사다고와」에게 돌려주려면 어디로 가야 할지 이야기를 나누었다.
　장소에 대한 직접적인 힌트가 없어서 한동안 고 민한다.

류노스케	조킹으로 어떻게 안 될까? 사진을 보 고 찍혀 있는 장소가 어딘지 파악할 수 는 없어?
GM	그건 힘들겠는데요.
마아야	역시 찻잔이나 붓을 쓰는 수밖에 없지 않겠어?
타마코	위험할 것 같아. 어느 프라이즈건 하나 같이 받았을 때 【광기】가 딸려왔고…….

류노스케	눈이 검은 여자의 위치를 밝혀내면 될까?
타마코	「사사하라 키누코」의 핸드아웃은 없었지. 왜 없을까?
미노리	위치……. 응? 혹시 **조사판정으로 【거처】를 조사하면 되는 거 아니야**?
마아야	오? 그런가?
미노리	눈이 검은 여자만 캐릭터 시트의 인물란에 적으라고 했잖아. 다른 사람은 그런 말 없었다고.
타마코	아아!
미노리	【거처】를 조사하면 거기에 갈 수 있을 거야. 응. 잘 생각해보니 그러네.

3. 불단이 있다　　　　• • • • • • • •

류노스케	먼저 해도 돼? 사사하라의…… 「눈이 검은 여자」의 【거처】를 조사하겠어. 《그늘》!
타마코	숨어 있으니까 무난할 것 같아.
GM	장면표 사용하세요.
류노스케	(주사위 굴림) 6.
GM	어둠 속을 혼자서 걷고 있다……. 이 장면, 누가 나오나요?

류노스케	누구 나올 사람?
GM	나오면 부적을 사용할 수 있어요.
마야	내가 한 개 가지고 있어.
류노스케	그럼 마야야만 나오는 게 낫겠지? 【비밀】도 알고 있고.
마야	류 오빠랑 함께 차를 타고 밤길 운전. 부웅~ (**주행음**)
GM	판정하세요.
류노스케	(주사위 굴림) 오, 성공.
GM	「눈이 검은 여자」의 【거처】가 판명됐습니다. 마을 시외의 잡목림 안에 폐가가 있어요.
타마코	만세! **경솔한 짓** 안 하길 잘했어!
류노스케	타마의 그림을 보고 근처의 잡목림에 주목해서 찾아냈다고 하자. ……아, 그런데 나는 타마 그림 못 봤던가.
미노리	잡목림에 관해서는 설명했잖아.
류노스케	혹시 여기 아니야? 라고 미노리랑 타마에게 연락하자.
타마코	즉, 그 안에 불단이 있다는 거네.
마야	불단이 있단 말이지!
류노스케	갈까?

경솔한 짓
아이스크림 냉장고 안에 들어간 사진을 인터넷에 업로드한다든가.

타마코 그러자. 아이템 셋 다 챙겨서.

4. 갑작스러운 폭력   ● ● ● ● ● ● ● ●

GM 그럼 마지막은 타마코 양입니다.

타마코 어떻게 할까? 재료는 모두 모인 거지?

GM **까놓고 말해서**, 이걸로 클라이맥스 페이즈를 유리하게 진행할 수 있는 조건이 갖춰졌습니다.

류노스케 그거, 혹시 이제부터 준비해두라는 GM의 온정?

미노리 클라이맥스 페이즈에 대비하라는…… 뜻인가?

GM 글쎄요?

마아야 (갑자기) **어! 아차**!

미노리 왜 그래, 마아야 언니?

마아야 내 【광기】의 트리거를 깜빡했어. 조건 충족됐는데.

GM (【광기】의 내용을 확인하고) 아아, 이건 확실히……. **재미있으니까** 지금 현재화할까요.

마아야 아아아아, 역시.

GM 시간상으로는 앞 장면으로 되돌아갑니다만, 마아야 양과 류노스케 군은 둘이

> **까놓고 말해서**
> GM은 「차례가 1회 남네. 난이도 조절을 잘못했나?」라고 GM은 생각했지만, 생각해보면 부적 러시를 고려하면 타당한 선이었다고 할 수 있다.

> 서 차에 타고 「눈이 검은 여자」의【거
> 처】를 밝혀냈습니다. 분명 거기일 거
> 야! 라고 말하던 참에 갑자기…….

Handout	
광기	**이성에 대한 공포**
트리거	그 장면에서 당신이 이성 캐릭터와 단둘이 된다.

이성이 두렵다. 그 녀석들은 괴물
이다! 이【광기】가 현재화한 장면에
등장한 이성 캐릭터 중에서 무작위로
캐릭터를 선택하여 2점의 대미지를
입힌다.

이 광기를
스스로 밝힐 수는 없다.

GM	마아야 양은 지금 자기 옆에 타고 있는 것이 남성이라는 사실을 깨닫고, 「이성에 대한 공포」가 현재화합니다.
일동	**우와아아!?**
타마코	하필이면 류 오빠랑 단둘일 때!
류노스케	얻어맞는 거야? 얻어맞는 거야?
미노리	과연. (웃음)

GM	「이 광기가 현재화한 장면에서 무작위로 이성 캐릭터를 한 명 선택하여 2점의 대미지를 입힌다」
류노스케	남성 한 명입니다!
마아야	우와아아! 남자다! **다가오지 마**! (킥)
GM	갑작스러운 폭력! 류노스케 군은 **갑자기 걷어차여서 차에서 굴러떨어집니다.**
류노스케	**끄악**!
타마코	아프겠다.
류노스케	나로서는 지금까지 입 다물고 있던 것 때문에 화가 났다고 생각하겠지. **미안해**, 마아야.
일동	(웃음)
마아야	이 장면, 트리거를 알았으면 처음부터 같이 안 갔을 텐데. (웃음)

한바탕 웃은 후, 타마코가 마지막 행동을 한다.

타마코	그럼 내 행동인데. **회복판정**을 해둘까. 【이성치】를 회복해두고 싶어.
GM	아, 장면표 아직 안 썼지요?
타마코	(주사위 굴림) 6. 어두운 길을 혼자 걷고 있다……. 시간상으로는 류 오빠랑 마아야 언니가 조사하러 나간 후겠지.

미안해
걷어차여서 차 밖으로 나가떨어지고도 사과를 할 수 있는 남자, 류노스케.

미노리	나도 나갈까?
타마코	응. 친구끼리 이야기를 나누고 마음을 진정시켜서【이성치】를 회복하고 싶어.《예술》이면 되겠지. (주사위 굴림) 아앗, 실패했어!
미노리	【호기심】분야가「지각」이지? 다시 굴려보는 게 어때?
타마코	아, 그렇지.【생명력】을 5로 낮추고 다시 굴릴게. (주사위 굴림) 성공. 다행이다!【이성치】가 4가 됐어.
미노리	나도 지금 진통제를 써두자.【이성치】가 위태로우니까.
GM	네, 좋습니다.
마아야	둘 다 감정공유를 하고 있어서 세트로【이성치】가 감소했지. (웃음)
미노리	함께 행동할 때가 많기도 하고……. 그래서 이것으로【광기】가 한 장 현재화했어.
타마코	엑?
타마코	아앗, 미노리가 의존증에!
류노스케	뭐, 피해는 없네.
마아야	클라이맥스 페이즈 직전이라서 진통제를 썼구나.

Handout

광기	의존
트리거	당신이「진통제」를 사용한다.

당신은 아픔을 견딜 수 없다. 세션이 끝날 때까지 당신이 장면 플레이어인 장면에서 당신의【생명력】이나【이성치】가 1점 이상 감소되어 있는 경우, 가지고 있다면 반드시「진통제」를 사용해야 한다.

이 광기를 스스로 밝힐 수는 없다.

121

미노리	정답.
마아야	똑똑한데. (웃음)
타마코	괘, 괜찮아? 미노리?
미노리	으응? **멀쩡해**! 머리가 아프긴 한데, 약 먹었으니까 괜찮아!
타마코	그, 그래?
미노리	으음, 이 진통제 독하긴 하지만 잘 듣네? 더 받아와야겠어. (오독오독)

멀쩡해!
멀쩡하지 않은 사람은 항상 이렇게 말한다.

5. 신음 소리   ● ● ● ● ● ● ● ●

GM	그럼 마지막으로 마스터 장면.
타마코	또냐!
GM	**네. 「또」에요. 죄송합니다.** 미노리 양, 마아야 양, 타마코 양의 세 사람에게 다시 【광기】를 선물합니다.
마아야	하나도 안 기뻐! (기쁘지 않은 비명)
류노스케	역시……. 이거 저주의 효과지? 【광기】를 받는 조건은 아마…….
타마코	……아마 저주의 아이템을 소지하는 것이겠지. 안 그래?
미노리	마아야 언니 혼자 찻잔을 가지고 있어서 첫날부터 【광기】를 받았다……?
마아야	참고로 어떤 느낌의 장면이야?

네, 「또」에요. 죄송합니다.
하지만 이 마스터 장면을 봤을 때, 당신은 분명 말로는 표현할 수 없는 【광기】 같은 것을 느껴주리라 믿는다.

GM	발작적으로 죽고 싶어지거나, 자신이나 타인을 공격하고 싶어졌다가 화들짝 정신을 차리는 상황이 점점 늘어납니다. 교통량이 많은 도로를 함부로 건너려고 하거나.
타마코	스마트폰을 보면서 밤길을 걷거나. (미노리를 보며)
류노스케	사람을 걷어차서 차에서 떨어뜨리거나. (마아야를 보며)
미노리·마아야	(눈을 피한다)
타마코	우선 날붙이를 치우고, 부엌에 접근하지 않도록 하자.
마아야	잠깐……. 남은 【광기】 카드, 네 장밖에 없는데!?
미노리	이제부터 클라이맥스 페이즈지? 분명 뭔가가 나올 텐데.
류노스케	우와, 마지막까지 버티려나……?

inSANe
The four
visitors

◆ 클라이맥스 페이즈

1. 인간이 아닌 존재 ● ● ● ● ● ● ● ●

GM	그럼 드디어 클라이맥스 페이즈입니다만…….
마아야	「사사하라 키누코의 집을 찾았어!」
류노스케	마아야와 함께 나갔다가 **너덜너덜해져서 돌아온 1인**. (웃음)
미노리	「어떻게 된 거야, 류 오빠!?」
타마코	「뭐한테 습격당한 거야?」
류노스케	조금 이런저런 일이 있어서. (웃음)
마아야	슬~쩍 거리를 둬.
미노리	무슨 일이 있었던 거야? (웃음)
류노스케	뭐, 아마 내가 나빴던 거겠지. (웃음)
타마코	왠지 이번의 류 오빠는 **계속 초식남처럼 구네**.
GM	그래서 마아야 양에게 물어보면…….
마아야	**남자는 적이야!**
타마코	아하, 역시 무슨 일이 있긴 있었구나? **(차가운 눈)**
미노리	위험해, 류 오빠의 평가가 곤두박질치고 있어. (웃음)
타마코	【생명력】2점은 꽤 큰 대미지인데.

너덜너덜해져서 돌아온 1인
너무해! 도대체 누가 이런 짓을…….

계속 초식남처럼 구네
이 치열을 보세요. 앞니와 송곳니가 퇴화했습니다. 기후의 변화로 이 캐릭터는 초식에 적응했던 모양입니다.

차가운 눈
상황증거로는 류노스케가 불리하다. 법정에 선다면 과잉방어냐 아니냐를 두고 다투는 것이 고작이리라.

류노스케	차에서 걷어차여 굴러떨어졌으니 당연하지.
마아야	미안. (웃음)

다시 마아야의 차에 타고, 네 사람은 잡목림의 집으로 향하기로 했다.

GM	차에서 내리면 야밤의 울창한 잡목림 안에 단층집이 있습니다. 여러분 중 일부는 그림에서 본 기억이 있겠지요.
미노리	·타마는 그림을 정말 잘 그리는구나!
타마코	지금 밤이지? 어둡겠네?
GM	그러네요. 폐가라서 전기도 들어오지 않는 것 같습니다.
미노리	마아야 언니, 차에 있는 회중전등 가지고 가도 돼?
마아야	안 그러면 보이지도 않을 거 아니야.
미노리	들어갈 때 비디오카메라도 가지고 갈래.
류노스케	맥라이트 가지고 갈게. (자기 가슴을 가리키며) **여기에 다는 걸로.**
마아야	류 오빠는 별걸 다 가지고 있단 말이지.
GM	네. 그럼 넷이 함께 폐가 안으로 들어갑니다.
류노스케	내가 앞장설게.

여기에 다는 걸로
L자형 라이트를 말하는 것 같다.

125

마칭 오더
Marching order. 던전을 탐색할 때 파티가 갖추는 대열을 가리킨다. 「인세인」에서는 딱히 정할 필요가 없지만, 이런 세세한 부분이 분위기를 살리는 것도 사실이다

마아야	**마칭 오더** 정할까? (웃음)
미노리	난 맨 뒤에서 모두를 찍으면서 갈게.
GM	너덜너덜한 장지문 따위를 열면서 나아갑니다.
류노스케	다들 조심해. 폐가에서는 뭔가가 떨어지거나 바닥이 빠질 수도…….
타마코	현관에서 그리 멀지는 않을 것 같지만.
미노리	불단이 있을 텐데…….
GM	네. 곧 다다미방에 도착합니다. 심령사진을 본 적이 있는 사람에겐 낯익은 방이에요. 다다미방의 한가운데에 불단이 떡 버티고 있는데…… 뜻밖에도 평범한 불단이 아닌 것 같아요. 나무가 아니라 묘비를 연상시키는 검은 돌로 만들어져 있습니다.
일동	오?
미노리	이건…… 제단?
GM	제단의 일종으로 보입니다. 두툼한 돌로 된 문이 열려 있고, 안에는 무시무시한 모양의 어떤 조각상이 있어요. 그리고…….
일동	그리고……?
GM	불단 앞의 닳고 닳은 다다미 위에서 하얀

옷을 입은 여자가 등을 돌리고 서 있습니다.

류노스케	우와아…….

미노리	…우리, 저걸 봤던 건가?

타마코	봤겠지.

GM	뭔가 할 말은 있나요?

류노스케	「사사하라 키누코…….」라고 중얼거려 볼게.

GM	그럼 여자는 천천히 돌아봅니다…….

「사사하라 키누코…….」

류노스케가 중얼거림이 거슬리기라도 했는지 여자가 천천히 뒤를 돌아보았다.

휘오오오…… 바람 소리가 들렸다.

어디에서 부는 걸까……? 그렇게 의아하게 여긴 직후에, 깨달았다.

눈이다. 여자의 눈.

지금의 그 눈은 단순히 검기만 한 것이 아니었다.

이제는 뻥 뚫린 검은 구멍이었다.

어디로 통하고 있는지도 알 수 없는 두 개의 검은 구멍이 네 사람을 향하자, 피와 어둠의 메스꺼운 악취가 코를 찔렀다.

바람을 타고 멀리서 무수한 인간이 울부짖는 소리가 들리는 것만 같다.

지옥에서 끝없는 학대를 당하며 울부짖는, 고통과 절망의 외침이.

| GM | 완전히 인간이 아닌 존재가 되어버린 사사라 키누코가 여러분의 앞에 있습니다. 전원 쇼크를 받고, 공포판정을 하세요.《우주》로. |

| 류노스케 | (주사위 굴림) 성공. |

| 마아야 | 9냐. (주사위 굴림) 아, 됐다! |

| 타마코 | 8이네. (주사위 굴림) 성공했어. 아니, 안 되네. 페널티가 있었지. |

| 미노리 | (주사위 굴림) 아까워라. 실패. |

| GM | 타마코 양과 미노리 양은【광기】를 받으세요. 남은【광기】카드는 **두 장**입니다. |

| 류노스케 | **무셔!** 네 명 모두 실패했다면 여기에서 끝났잖아. |

| GM | 위험했네요. 전투 시작합니다. |

2. 세 개의 물건을 돌려드립니다 • • • • • • •

| GM | 이번 전투에서는 **의식** 규칙을 사용합니다. 클라이맥스의 전투 중에 어떤 절차를 밟아서 괴이를 봉인하거나 설득하기 위한 규칙입니다. |

| 타마코 | 흠흠. 전투에서 적을 이기지 못해도 의식에 성공하면 OK? |

| GM | 그래요. 이번 의식은 이런 느낌입니다. |

GM은 의식 시트를 공개했다.

🧍 **의식 시트**		**의식명**	저주 반환의 의식	
단계	절차의 이름	지정특기	참가조건	페널티
1	사진을 돌려준다	《영혼》	사진을 가지고 있다	실패하면 【광기】를 1장 얻는다
2	찻종을 돌려준다	《죽음》	찻종을 가지고 있다	실패하면 【광기】를 1장 얻는다
3	붓을 돌려준다	《암흑》	붓을 가지고 있다	실패하면 【광기】를 1장 얻는다
4	신의 이름을 부른다	《혼돈》	아무나	실패하면 무조건 공격을 받는다
5				
6				

GM 단계 1부터 3은 원하는 순서로 해도 됩니다. 단계 4는 1~3을 모두 끝내지 않으면 도전할 수 없어요.

마아야 사진을 돌려주고, 찻잔을 돌려주고, 붓을 돌려주고, 마지막으로 신을 부른다. 과연.

미노리 오사다…….

타마코 그 이름은 함부로 입에 담지 않는 게 좋을 것 같은데.

미노리 어이쿠. 위험했다. (입을 가리며)

GM 의식의 각 절차는 전투 중의 지원행동 으로 봅니다. 알기 쉽게 말하면 공격을

	할지, 의식에 참가할지를 생각해주시면 됩니다.
류노스케	세 개의 아이템은 전투 중에 주고받을 수 있어?
GM	가능하긴 하지만, 보통의 아이템을 전달할 때와 마찬가지로 지원행동이 됩니다.
타마코	그렇구나. 전투 전에 주고받아도 돼?
GM	으음…. 뭐, 괜찮겠지요.
류노스케	누가 어느 판정에 유리한지로 분담하자. 남은 【광기】는 두 장밖에 없어. **실패해도 되는 건 한 번뿐이야.**

일동은 누가 어떤 판정을 할지 잠시 논의했다.
미노리가 가진 「심령사진」과 타마코의 「붓」은 그대로 두고, 류노스케가 마아야에게서 「뚜껑이 닫힌 찻잔」을 받았다.

류노스케	아, 그리고 말인데. 클라이맥스 페이즈에서 비밀을 공개하면 쇼크 적용돼?
GM	됩니다.
류노스케	라저.
GM	됐나요? 그럼 클라이맥스의 전투가 시작됩니다.

●제1라운드

각자의 플롯은 아래와 같았다.

마아야: 6

미노리: 4

타마코: 2

류노스케: 2

눈이 검은 여자: 1

타마코 아, 이런. **버팅(butting).**

버팅 (butting)
같은 속도에 있는 캐릭터는 서로 부딪혀서 【생명력】에 1점의 대미지를 받는다. 메인 페이즈의 전투라면 이것만으로도 전투에서 탈락하지만, 지금은 클라이맥스 페이즈이므로 전투를 속행할 수 있다.

GM 속도 2의 두 사람은 버팅으로 대미지를 1점 입으세요.

류노스케 【위험감지】. (주사위 굴림) 성공!

GM 재빨리 피했습니다.

타마코 나는, 그…… 대미지를 입는 바람에 「**폭력충동**」이 발동해버렸어.

일동 앗.

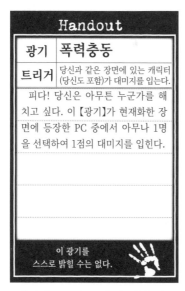

Handout	
광기	폭력충동
트리거	당신과 같은 장면에 있는 캐릭터 (당신도 포함)가 대미지를 입는다.

피다! 당신은 아무튼 누군가를 해치고 싶다. 이 【광기】가 현재화한 장면에 등장한 PC 중에서 아무나 1명을 선택하여 1점의 대미지를 입힌다.

이 광기를
스스로 밝힐 수는 없다.

GM	아무나 PC를 골라서 대미지를 입히세요.
타마코	다들 소중한 사람이라서, 그게…….
GM	주사위로 정할까요. 1, 2면 미노리. 3, 4면 마아야. 5, 6이면 류노스케.
타마코	(주사위 굴림) 3. **미안해, 마아야 언니**!
마아야	크억! 그냥 버팅이었으면 나도 【위험 감지】를 할 수 있었는데! (웃음)
GM	그럼 6인 사람부터 행동하세요!
마아야	응. 의식에 참가하지 말고 그냥 공격. (주사위 굴림) 실패했다. 저 녀석 너무 멀어.

GM	여자는 이상하리만치 매끄럽고 민첩한 움직임으로 공격을 피했습니다. 다음은 4.
미노리	나야! 의식을 하겠어! 사진을 돌려주자. 에잇! (주사위 굴림) 아앗, **실패!** (비명)
GM	당신은 제단에 다가가려고 했지만, 좌우로 열리는 형태의 문 안에서 느껴지는 이상한 분위기에 압도당해서 다가가지 못합니다. 그렇기는커녕 문 안의 어둠을 보는 사이에 점점 머리가 혼란스러워집니다. 【광기】를 한 장 받으세요.
일동	꺄아아아!
미노리	어라라? 이상하네? **눈이 빙글빙글 도는데?**
류노스케	……아. 미노리, 미공개 【광기】가 네 장을 넘겼어.
미노리	아! 넘쳤다!
타마코	어, 그럼 어떻게 되는데?
GM	미공개 【광기】는 세 장까지만 가질 수 있어요. 그 이상이 되면 뭐라도 공개하지 않으면 안 돼요.
마야야	컥, 강제로 현재화하는 건가.

류노스케 오히려 지금까지 잘도 버텼다고 해야 겠지.

미노리 뭘 현재화할지 골라도 돼?

GM 유감스럽게도 랜덤입니다.

미노리 으윽 그럼…… 이거다! (휘릭)

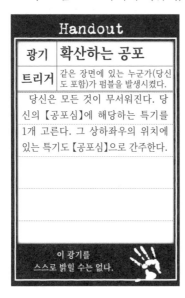

류노스케 다행이다! 피해가 덜한 녀석이야!

GM 【공포심】은 뭐였지요?

미노리 《혼돈》.

GM 그럼 그 상하좌우의 《시간》, 《심해》, 《수학》도 【공포심】이 됩니다.

미노리	싫어어! 무서워! 죄다 무서워! 그 자리에 주저앉아 버려.
마아야	【공포심】이 퍼져간다……. 특기 리스트가 침식당하는 것 같아.
GM	**남은 【광기】는 한 장**. 드디어 더 물러날 곳이 없네요.
타마코	다음은 2인 우리 둘. 붓을 돌려줄래. (주사위 굴림) **성공했다!**
GM	네. 타마코 양은 제단에 붓을 내동댕이치듯이 올려놓습니다.
타마코	탁! 「정신 차려, 미노리!」
미노리	헉. 타마의 목소리에 정신이 들었어. 그래! 내겐 아직 찍어야 하는 게 있어!
마아야	아니, 이거 안 찍는 게 좋을 것 같은데? (웃음)
류노스케	난 찻잔을 돌려주지. (주사위 굴림) 성공!
GM	류노스케 군은 타마코 양에 이어서 찻잔을 내동댕이치듯이…….
마아야	깨지겠다, 깨지겠어. (웃음)
GM	1에서 이쪽입니다. **모처럼이니까……** 목표는 류노스케 군.
류노스케	음.
GM	당신에게 【빙의】를 시도합니다.《영

	혼》으로 판정하세요.
류노스케	(주사위 굴림) 성공이야.
GM	큭. 빙의하려고 했지만, 단호하게 거부 당했습니다.
타마코	역시 류 오빠야.

●제2라운드 ● ● ● ● ● ● ● ●

GM	제2라운드, 전장이동은 없었으므로 행동 순서는 똑같습니다. 6의 마아야 양부터 하세요.
마아야	때리자. 빗자루라도 들고. (웃음) 이얍! (주사위 굴림) 맞았다.
GM	회피는 자신의 속도+4가 목표치로…… (주사위 굴림) 이런, 실패. 대미지를 주세요.
마아야	(주사위 굴림) **4점!**
미노리	세, 세다.
류노스케	**그거 정말로 빗자루……야?**
GM	아프다! 빗자루로 얻어맞은 검은 눈의 여자는 마아야 양에게 【보복】을 사용합니다.
마아야	윽, 그건…….
GM	대미지를 입었을 때 반격할 수 있는 어

빌리티에요. (주사위 굴림) 성공. 마아야 양에게 1점의 대미지가 날아갑니다. 《인류학》으로 무효로 할 수 있는…… 데, 그러고 보니 마아야 양은 《민속학》을 가지고 있었지요?

마아야	응. 전문분야지. (주사위 굴림) 성공!
GM	피했네요. 다음, 4인 사람 하세요.
미노리	의식을 다시 한번 시도해볼래. 이번에야말로……!
타마코	**아!** 나 미노리한테 감정 맺은 거 있어! **감정수정** 할래!
GM	【생명력】이나 【이성치】를 1점 소비하세요.
타마코	【생명력】으로 해둘게.
GM	그럼 미노리 양의 판정에 1점 보너스.
타마코	미노리, 힘내!
미노리	고마워, 타마! (주사위 굴림) **성공!**
일동	**해냈다아아**!!
미노리	사진 올렸어!
GM	OK! 이것으로 세 개의 아이템이 제단에 놓여서 의식이 제3단계까지 진행됐습니다.
류노스케	다음은 나지? 의식의 제4단계를 하기

전에 내【비밀】을 공개하겠어.

PC④ (사코미즈 류노스케)

【비밀】당신에게는 사실 영감(靈感)이 있으며, 몇 번인가 오컬트에 관련된 사건에 관여한 적이 있다(「괴이」분야의 공포판정에 +1의 보너스가 적용된다).

당신은 최근 사람을 통해 전염되는 저주가 주변에서 발생하고 있다는 것을 알아차렸다. 그중에서도 미노리, 마아야, 타마코는 저주에 깊게 오염되어 있어서 앞으로 3일이 지나면 저주로 인해 죽을 위험이 있다.

추측하건대 이 저주를 건 것은 당신에게 원한을 가진 영능력자「사사하라 키누코」일 것이다. 당신의【진정한 사명】은 3일 이내에 저주의 근원을 찾아내서 소멸시키는 것이다.

쇼크: 전원

미노리	(읽고) 에에에엑! (쇼크)
타마코	역시 네 탓이냐아! (쇼크)
마아야	그렇게 된 거야.
류노스케	**회상 장면**으로 달성치 상승. 이것으로 4 이상이면 성공이야. (주사위 굴림) 좋아, **성공**!
일동	와아아! (환성)
류노스케	사사하라 키누코를 바닥에 쓰러뜨리

고…… 아니지! **사바테를 쓰겠어!**

GM   네. 쓰고 싶었군요, 사바테. (웃음)

이형의 여자가 달려드는 형상은 죽을 때까지 꿈에 나올 만한 것이었지만, 세 친구를 뒤에 둔 류노스케는 한 발짝도 물러나지 않았다.

류노스케가 들어올린 오른다리가 눈에 잘 비치지도 않을 정도로 빠르게 움직였다.

부츠의 단단한 발끝이 여자의 명치에 강렬한 기세로 꽂혔다.

꿰뚫는 듯한 펫테(돌려차기)에 여자의 몸이 ㄱ자로 꺾인다.

「류 오빠, 전부 제단에 돌려줬어!」

뒤에서 미노리가 외치는 소리.

「좋았어!」

비틀거리는 여자로부터 눈을 떼지 않은 채로 류노스케는 목소리를 높여 외쳤다.

「오사다고와 님! 세 개의 물건을 돌려드립니다!」

GM   류노스케가 외친 순간, 벼락이라도 떨어진 것 같은 충격이 여러분을 덮칩니다.

미노리   **콰릉!!**

GM   눈이 검은 여자가 절규합니다. 검은 돌로 된 제단 안의 조각상이 살아있는 것처럼 움직여서, 바닥에 쓰러진 여자를 위에서부터 덮치는 모습을 본 것 같아요.

미노리	저, 저거, 신이야?
류노스케	신으로 모셔지는 것이 전부——
타마코	——좋은 것이라고 단정할 수는 없지.
류노스케	재앙신일지도.
GM	충격으로 지진이라도 난 것처럼 폐가가 흔들리며 우두둑우두둑 무너집니다.
류노스케	도망치자.
타마코	빨리 도망가자!
류노스케	「이쪽이다!」
미노리	아, 잠깐. 제단에 올려놓은 거, 도망칠 때 그냥 두고 가는 게 나을까?
마아야	당연하지!
미노리	에에, 우우, 아아…… 괜찮을까? 괜찮을까?
타마코	얘 또 이상한 소리 하고 있어.
마아야	빨리, 빨리!
류노스케	미노리를 번쩍 들어 올리면서 달려나가.
미노리	우와아!? 내려줘!
GM	여러분이 폐가를 빠져나오자, 등 뒤에서 거대한 손으로 후려친 것처럼 건물이 폭삭 주저앉습니다.
타마코	히익.

GM	주위의 잡목림도 우르르 꺾이고 쓰러져서…… 잠시 후에 조용해지고 나니, 완전히 무너진 집의 잔해만이 남았습니다. 여러분은 그 앞에서 멍하니 주저앉아 있습니다.
마아야	끄, 끝났나……?
류노스케	영감이 있으니까 아까까지와는 분위기가 다르다는 걸 느낄 수도 있겠지?
GM	그러네요. 잡목림을 뒤덮고 있던 불온한 분위기가 사라진 것 같아요. 그리고…… 눈에 보이지 않는, 어마어마하게 거대한 기둥 같은 것이 쿠웅, 쿠웅 하고 땅을 울리며 멀어지고 있습니다…….

3. 무사해서 다행이야 ● ● ● ● ● ● ● ●

GM	수고하셨습니다. 이것으로 시나리오는 클리어입니다.
미노리	**굿 엔딩?**
GM	네. 여러분에게 걸린 저주는 풀렸고, 눈이 검은 여자…… 사사하라 키누코는 소멸했습니다.
류노스케	휴우, 다행이다…….
마아야	무슨 원한이 있던걸까?

142

타마코	류 오빠의 【비밀】에 오컬트 관련의 일을 했다고 적혀 있었으니까 아마…….
류노스케	사사라 키누코의 일을 방해하기라도 했겠지.
마아야	그러고 보면 【비밀】이 밝혀지지 않은 사람이 있지?
미노리	나는 이런 내용이었어.

PC① (오사카 미노리)

【비밀】 그런 사진을 찍은 기억은 없지만, 불길한 예감이 든다. 이 사진은 회수하는 게 좋을 것 같다. 당신의 【진정한 사명】은 이 사진을 손에 넣는 것이다.

타마코	아하, 과연.
마아야	그래서 사진을 가지고 싶어 했구나.
타마코	마지막에 가지고 돌아가겠다고 말한 것도 이게 이유였구나.
미노리	그렇다니까. 이거 【진정한 사명】을 달성했다고 봐도 돼?
GM	네. 한 번 손에 넣었으니까 OK입니다.
미노리	만세!
류노스케	사진의 【비밀】은 봤는데, 찻잔과 붓의 【비밀】은 어떤 거였어?

143

GM	자, 보셔도 돼요.

타마코 어디 보자. (휘릭)

● **프라이즈:** 뚜껑이 닫힌 찻잔

【비밀】 뚜껑을 열고 들여다보면, 안에는 검붉은 액체가 고여 있다. 수면에는 당신이 비치고 있다. 하지만 얼굴이 없다. 거기에 있는 것은, 커다란 검은 구멍이다…….

쇼크: 전원. 【광기】를 무작위로 한 장 현재화한다. 가지고 있지 않다면 【광기】를 한 장 얻는다.

● **프라이즈:** 붓

【비밀】 어느새 붓을 쥐고 끔찍하게 죽은 자신의 모습을 그리고 있음을 깨닫는다.

쇼크: 전원. 【광기】를 무작위로 한 장 현재화한다. 가지고 있지 않다면 【광기】를 한 장 얻는다.

마아야 우, **우와아**…….

타마코	【광기】를 가지고 있으면 현재화하고, 가지고 있지 않아도 한 장 받는 건가. 무섭네.
류노스케	일단 보기만 하면 어떻게든 이상해지는구나.
미노리	피해를 안 받을 수는 없어. 정말로 **저주 받은 아이템**이네.
류노스케	마지막으로 타마코의 【비밀】은?

저주 받은 아이템
그나저나 미노리의 핸디 카메라 안에는 폐가 안에서 겪은 일을 찍은 엄청난 공포 영상이 고화질, 고음질의 디지털 데이터로 기록되어 있다. 게다가 타마코는 이번 일에서 영감을 얻어 새로운 작품을 구상 중이다.

타마코　이런 【비밀】이었어.

　PC③: (우시오 타마코)
　【비밀】 당신에게는 사실 영감(靈感)이 있다(「괴이」 분야의 특기를 사용하는 판정에 +1의 보너스를 적용하는 대신, 모든 공포판정에 -1의 페널티가 적용된다).
　이 영감을 통해 당신은 친구인 미노리와 마아야, 류노스케에게 위기가 닥쳐오고 있음을 직감한다. 당신의 【진정한 사명】은 사흘 후에 찾아올 무언가로부터 자신과 친구들을 살리는 것이다.
　이 비밀을 본 자에게는 영감이 전염된다.
　쇼크: 영감이 없는 PC

미노리　타마도 영감이 있었구나!

타마코　그랬지.

류노스케　아, 이거 나는 봐도 쇼크 안 받네. 영감이 있으니까.

마아야　이쪽은 친구 세 명의 이름이 확실하게 적혀 있어. (웃음)

타마코　어떻게 해야 모두 살아남을 수 있을지 꽤 고민했어.

미노리　마지막까지 살아남을 수 있어서 다행이었네.

류노스케　**부수적인 피해**가 크긴 했지만. (웃음)

부수적인 피해
걷어차이는 바람에 차에서 굴러떨어진다거나!

145

미노리	그렇지, 가토 군은 괜찮을까?
GM	그러게요. 좀 지나면 퇴원하겠지요.
타마코	민속학 선생님이나 조수는 꿈도 희망도 없는 거지?
미노리	쿠로사키 군은 무사했어.
타마코	그 녀석은 왜 그렇게 잘 알고 있었던 거지?
류노스케	그 친구도 영감이 있었겠지.
마아야	그게 뭐야. 능력자가 너무 많잖아. (웃음)
미노리	쿠로사키 군은 침착하던데. 분명히 다른 시나리오에서 PC로 뛰고 있을 거야.
타마코	봉마인이라. 그럴듯한데.
류노스케	처음에 나한테 경고를 했던 남자도 그런 부류겠지.
타마코	민속학 선생님도 그랬는데 도중에 죽어버린 걸지도.
미노리	민속학 선생님은 세 개의 아이템을 회수해서 어떻게든 해보려고 했던 거 아니야?
마아야	그렇다고 **남의 가게에서 죽지는 말아줬으면 좋겠는데!**
미노리	할머니는 무사해서 다행이야.

마아야	참. 할머니한테 보고하러 가자. 이런 일이 있었어요! 라고.
GM	네. 그럼요, 마아야 양이 할머니 댁에 가보면…….
마아야	어? 뭐야?
GM	휠체어를 밀며 집 밖으로 나오는 어머니와 딱 마주칩니다. 휠체어에 앉아 있는 것은 할머니예요.
마아야	어……?
미노리	뭘까? 전에 나왔을 때는 휠체어에 앉아 있지는 않았는데?
마아야	엄마, 어디 가?
GM	(모친이 되어서) 「어디냐니? 항상 가는 재활 센터인데?」
마아야	재활 센터……? 할머니, 어딘가 이상한 느낌?
GM	당신이 말을 걸어도 할머니는 반응하지 않습니다. 멍하니 있는 것이 상태가 이상해요.
타마코	……이런?
류노스케	당했나?

당황하는 마아야의 모습을 보며, 모친은 의아한 듯이 고개를 갸웃거렸다.

「왜 그러니, 마아야? 이상하다는 표정을 다 짓고, 늘 봐왔잖니?」

「어? 늘 봐 왔다고……?」

마아야는 모친과 조모의 얼굴을 번갈아 쳐다보며 물었다.

서서히 치밀어오르는 불안감에 호흡이 빨라진다.

「엄마 무슨 소리야……?」

모친은 눈 하나 깜빡하지 않고 마아야를 보며, 이렇게 말했다.

「──할머니는 몇 년 전부터 미치셨잖니?」

끝

규칙 파트

「공포의 카탈로그」

Catalogue of Horror

● 시작하기에 앞서

　이 책에는 이야기를 나누고 주사위를 굴리면서 다른 세계에서의 모험을 즐기는 테이블 토크 RPG의 규칙이 적혀 있습니다. 이 게임에서는 자기가 만든 캐릭터의 입장이 되어(이것을 롤플레이라고 합니다) 모험을 하게 됩니다. 롤플레이를 어떻게 해야 하는지는 리플레이 파트를 참고하시기 바랍니다.

　이 규칙 파트에서는 실제로 게임을 진행하는 방법이 적혀 있습니다. 단, 다양한 시도가 가능한 테이블 토크 RPG에서는 모든 것이 규칙으로 정의되어 있지는 않습니다. 플레이어가 규칙에 없는 것을 시도하고 싶어한다면, 게임 마스터는 게임이 재미있어지도록 임의로 규칙을 변경하거나 조정해도 좋습니다.

　이 책은 『인세인 2』의 선택 규칙 모음집입니다. 이 책에서 페이지 수가 언급될 때, 페이지 수 앞에 「기본」이라고 적혀 있다면 그것은 『멀티장르 호러RPG 인세인』의 페이지 수를 나타냅니다. 단, 페이지 수만 적혀 있으면 이 책의 페이지 수를 나타냅니다.

● 특별한 용어

　이 규칙에서 아래의 표기에는 특별한 의미가 있습니다.

nd6: 주사위를 n개 굴리고 합계를 냅니다. 예컨대 1D6이라면 주사위를 하나 굴리고 주사위 눈의 수치를 사용합니다. 2D6이라면 주사위를 2개 굴리고 주사위 눈의 합계치를 사용합니다.

D66: 주사위를 2개 굴리고 눈이 더 작은 쪽의 숫자를 10의 자리, 큰 쪽을 1의 자리로 간주하여 11~66의 수를 냅니다. 특수한 방식의 주사위 굴림입니다.

【】: 게임상의 특수한 데이터를 의미합니다. 캐릭터의 생명력, 이성치, 호기심, 공포심, 정보(거처, 비밀), 감정, 광기, 어빌리티 등에 사용합니다.

《》: 캐릭터의 특기를 의미합니다. 만약 / 뒤에 글자가 적혀 있다면, 그것은 해당하는 특기가 캐릭터 시트의 특기 리스트에서 어느 위치에 있는지를 나타냅니다. 예컨대 《소리/지각7》이라고 적혀있다면 소리라는 특기가 지각 분야의 7번 항목에 있음을 나타냅니다.

세션:『인세인』에서는 1회의 게임을 세션이라고 부릅니다.

GM: 게임 마스터의 약자입니다. 시나리오 작성, 게임 진행, 규칙 심판, 캐릭터 롤플레이, 이야기의 전개를 맡습니다.

플레이어: 캐릭터를 사용하여 게임 마스터의 시나리오에 도전하는 게임 참가자입니다. 모두 자신만의 캐릭터를 만들어서 게임에 참가합니다.

캐릭터: 게임에 등장하는 가상의 인격. 플레이어는 전용 캐릭터를 제작 및 조작해서 게임을 진행합니다.

PC: 플레이어가 조종하는 캐릭터를 의미 합니다. 이름이나 직업, 특기나 어빌리티를 설정해서 간단하게 만들 수 있습니다.

NPC: 플레이어가 조종하지 않는 캐릭터를 의미 합니다. 원칙상 게임 마스터가 조작합니다.

●게임에 필요한 것

게임에는 아래의 준비물이 필요합니다.

규칙책:『멀티장르 호러RPG 인세인』이 필요합니다. 한 권만 있어도 플레이할 수 있지만, 참가자 수만큼 마련해두면 더 쾌적하게 플레이할 수 있습니다.

시트류: 캐릭터 시트, 규칙 요약본 같은 각종 시트를 참가자 수만큼 복사해둬야 합니다. 또, 전투 시트의 복사본이 한 장 필요합니다.

비밀과 광기: 시나리오에 사용할 핸드아웃이나 【광기】를 복사하고 오려서 한 장씩 카드 형태로 만듭니다. 이때, 카드로 만든 【비밀】이나 【광기】는 카드 게임용 슬리브에 넣거나 두꺼운 종이에 붙여두면 쓰기에 편합니다.

주사위: 플레이어라면 각자 3개 정도의 6면체 주사위가 필요합니다. 게임 마스터는 6개 이상 준비해야 합니다.

게임 말: 전투할 때 자신의 속도를 관리하기 위한 게임 말입니다. 등장인물의 수만큼 준비해야 합니다.

① 선택 규칙

이 항목에서는 『인세인』의 선택 규칙을 소개합니다. 아래에 소개한 선택 규칙을 사용하면 더 폭넓은 전개를 지원할 수 있습니다.

게임 마스터는 자신의 세션에서 선택 규칙을 사용할지 말지를 정할 수 있습니다. 자신이 플레이할 시나리오에 맞춰서 어떠한 규칙을 사용할지 정합니다. 플레이어가 선택 규칙을 사용하고 싶을 때는 게임 마스터의 허가를 받아야 합니다.

1.01 감정판정의 스페셜

이 규칙은 【감정】에 관한 선택 규칙입니다. 감정판정에서 스페셜이 발생하면, 감정판정을 한 캐릭터는 자신 또는 감정판정의 목표가 획득하는 【감정】의 종류를 마음대로 결정할 수 있습니다.

1.02 암흑

이 규칙은 어둠을 다루기 위한 선택 규칙입니다. 밤의 숲속이나 동굴 안, 전기가 통하지 않는 지하시설 안에서 모험을 하는 시나리오에서 사용할 수 있습니다.

게임 마스터는 시나리오의 무대 일부를 어둠으로 덮을 수 있습니다. 어둠에 덮인 장소를 무대로 하는 장면에서는 조사판정, 명중판정, 회피판정에 -2의 수정이 적용됩니다. 이 수정을 암흑수정이라고 합니다. 암흑수정은 괴이 속성을 지닌 에너미나 그에 준하는 NPC에게는 적용되지 않습니다.

플레이어는 조킹을 해서 그 무대를 뒤덮은 어둠을 제거할 방법을 찾을 수도 있습니다. 게임 마스터는 플레이어가 어둠을 제거할 타당한 방법을 발견했다면 암흑수정을 무효로 합니다.

또한, 이 규칙을 사용할 경우, 게임 마스터는 「2. 공포 주머니」에 수록된 프라이즈 「회중전등」을 입수할 방법을 시나리오에 준비할 수도 있습니다.

1.03 전투에 관련된 선택 규칙

이 규칙은 전투와 관련된 선택 규칙입니다. 「맹공」과 「댐드」가 있습니다. 조건만 충족한다면 이 두 가지 선택 규칙을 동시에 사용할 수도 있습니다.

1.03.01 맹공

이 규칙은 클라이맥스 페이즈에서 사용할 수 있는 선택 규칙입니다. 클라이맥스 페이즈에서 PC들이 강력한 에너미 하나와 싸울 때 사용합니다. 맹공이란 공격에 관련된 특수한 선택지입니다. 맹공 규칙을 사용하면 속도가 높은 캐릭터가 여러 번 공격할 수 있습니다.

맹공을 할 수 있는 것은 전투에 참가한 캐릭터 중에서 가장 높은 속도에 있는 자뿐입니다. 가장 높은 속도에 두 명 이상의 캐릭터가 있다면 맹공을 할 수 없습니다.

맹공을 할 캐릭터는 현재의 자기 속도에서 바로 다음에 행동할 다른 캐릭터(또는 몹)의 속도를 뺍니다. 자기 차례에 그 결과와 같은 횟수의 공격을 할 수 있습니다. 공격 대신 「의식판정」 이외의 지원행동을 할 수도 있습니다.

예: 어느 날 미노리, 마아야, 타마코는 남해의 외딴섬에서 거대한 거미와 싸우는 처치에 처했습니다. 친구들을 구하기 위해서는 거대 거미가 지키는 신비한 알이 꼭 필요했기 때문입니다.

플롯을 했더니 거대 거미의 속도는 6, 타마코의 속도는 3, 미노리와 마아야의 속도는 1이었습니다. 거대 거미는 전투 참가자 중에서 가장 속도가 높으므로 맹공을 합니다. 다음으로 빠른 것은 속도3인 타마코입니다. 6에서 3을 빼면 3. 거대 거미는 3회 공격을 할 수 있습니다. 타마코가 전투에서 탈락하면 거대거미는 5회 공격을 할 수 있게 됩니다. 이렇게 되면 미노리와 마아야는 【전장이동】을 하는 게 나을 것입니다.

1.03.02 댐드

이 규칙은 어떤 전투에서든 사용할 수 있는 선택 규칙입니다. 주변에 깔린 괴물들, 괴이로 변한 건물, 거대한 사신처럼 PC들을 포위할 만한 압도적인 괴이와 싸울 때 사용합니다. PC들을 압도할 정도의 에너미를 댐드(damned)라고 부릅니다.

댐드와 전투를 할 때는 기존의 규칙에서 아래 사항을 변경합니다.

댐드는 명중판정에 자동으로 성공합니다. 댐드의 공격 목표가 된 캐릭터는 평소대로 회피판정을 합니다. 이때 회피판정에서 펌블이 발생했다면 댐드의 명중판정이 스페셜인 것으로 봅니다.

댐드는 회피판정에 자동으로 실패합니다. 댐드를 공격 목표로 선택한 캐릭터는 평소대로 명중판정을 합니다. 이때 명중판정 결과가 펌블이나 스페셜이 아니라면 6에서 댐드의 속도를 뺀 수치를 산출합니다. 이것을 댐드의 회피치라고 부릅니다. 만약 명중판정의 주사위 눈 중에 댐드의 회피치와 같은 수치의 주사위 눈이 있었다면, 댐드는 그 주사위의 눈을 0으로 만들 수 있습니다. 이것을 판정방해라고 부릅니다.

판정방해를 적용했을 때 달성치가 펌블치 이하가 되면 펌블이 발생한다는 점에 주의하기 바랍니다.

예: 어느 날 류노스케는 아파트 안에서 무수한 좀비에게 둘러싸이고 말았습니다. 좀비들은 댐드로 간주합니다. 류노스케는 각오를 다지고 그들과 싸우기로 했습니다.

플롯을 했더니 좀비의 속도는 3. 류노스케의 속도는 2였습니다. 우선 좀비가 【기본공격】으로 공격합니다. 공격은 자동으로 명중하며, 류노스케는 목표치 7로 회피판정을 합니다. 여기에서 펌블이 발생하는 바람에 류노스케는 2D6점의 대미지를 입고 말았습니다. 다행히도 대미지는 낮았고, 류노스케가 공격할 차례가 되었습니다. 류노스케도 【기본공격】으로 명중판정을 합니다. 목표치는 5이고, 굴린 주사위의 눈은 3과 2입니다. 순간 성공했다고 생각했지만, 그 눈에 대해 좀비가 회피치 3을 써서 판정방해를 합니다. 결과적으로 달성치는 2가 되어 류노스케의 명중판정에서 펌블이 발생하고 말았습니다.

1.04 추가 어빌리티

아래에 추가 어빌리티를 소개합니다. 플레이어는 이 어빌리티들을 사용해서 더 다양한 봉마인을 제작할 수 있습니다. 「캐릭터 제작」이나 「리스펙」, 「공적점의 사용」 규칙에 따라 습득할 수 있습니다.

1.04.01 월드 어빌리티

추가 어빌리티 중에는 월드 어빌리티라는 특수한 어빌리티도 있습니다. 월드 어빌리티는 해당하는 월드 세팅이 무대일 때만 습득할 수 있습니다. 월드 어빌리티를 습득하려는 플레이어는 게임 마스터에게 그 세션의 월드 세팅을 확인하기 바랍니다.

어빌리티: **공격**

화염병
타입 공격

지정특기 소각

효과 당신보다 속도가 느린 캐릭터 중에서 목표 1명을 선택해서 명중판정을 한다. 이 명중판정에는 -2의 수정이 적용된다. 명중판정이 성공하고 목표가 회피판정에 실패하면, 목표에게 1D6점의 대미지를 입힌다. 또, 이 공격으로 1점 이상 대미지를 입은 캐릭터는 그 전투 동안 라운드가 끝날 때마다 1점의 대미지를 입는다(같은 대상에게 여러 번 사용해도 라운드가 끝날 때 입는 대미지는 누적되지 않는다).

해설 화염병을 사용하여 화상을 입힌다.

무술
타입 공격

지정특기 파괴, 구타, 절단, 찌르기

효과 목표 1명을 선택하여 명중판정을 한다. 명중판정이 성공하고 목표가 회피판정에 실패하면, 목표에게 1D6의 대미지를 입힌다. 이때 무기 1개를 소비할 때마다 대미지를 2점씩 증가시킬 수 있다.

해설 전통적인 전투기술.

독침
타입 공격

지정특기 약품

효과 당신과 같은 속도의 캐릭터 중에서 목표 1명을 선택해서 명중판정을 한다. 명중판정이 성공하고 목표가 회피판정에 실패하면 목표에게 2D6점의 대미지를 입힌다.

해설 맹독이 묻은 바늘이나 주사기를 꽂는다.

투석
타입 공격

지정특기 사격

효과 목표를 3명까지 선택하여 명중판정을 한다. 명중판정이 성공하면 목표는 각자 회피판정을 한다. 회피판정에 실패한 목표에게 2점의 대미지를 입힌다.

해설 발밑에 굴러다니는 돌멩이나 잡동사니를 던진다.

제령
타입 공격

지정특기 가변

효과 괴이 에너미 중에서 목표를 1명 선택한다. 괴이 분야에서 무작위로 지정특기를 하나 선택하여 명중판정을 한다. 명중판정이 성공하고 목표가 회피판정에 실패하면 목표에게 3D6-3점의 대미지를 입힌다.

해설 괴이를 쫓는 신비한 술법.

중화기
타입 공격

지정특기 병기

효과 전투에 참가한 당신 이외의 캐릭터 전원을 목표로 선택하여 명중판정을 한다. 명중판정이 성공하면 목표는 각자 회피판정을 한다. 회피판정에 실패한 목표에게 1D6+2점의 대미지를 입힌다. 이 효과는 한 전투당 1회만 사용할 수 있다.

해설 기관총이나 로켓런처 등의 중화기.

어빌리티: **서포트**

불행 중 다행
타입
서포트

지정특기 없음

효과 당신이 펌블을 발생시켰을 때나 누군가가 버팅을 했을 때 사용할 수 있다. 원하는 아이템 1개를 획득한다.

해설 구르거나 부딪힌 곳에서 뭔가를 발견한다.

헌신
타입
서포트

지정특기 없음

효과 당신이 블록을 했을 때나【감싸기】어빌리티에 성공했을 때 사용할 수 있다. 그로 인해 입을 대미지를 2점 경감할 수 있다(0 미만이 되지는 않는다). 만약 대미지를 대신 입어줄 상대에 대해 당신이 플러스【감정】을 가지고 있다면 추가로 2점을 더 경감할 수 있다.

해설 필사적으로 동료를 지킨다.

분신사바
타입
서포트

지정특기 없음

효과 드라마 장면에서 사용할 수 있다. 당신의 PC는【이성치】를 1점 소비한다. 당신은 눈을 감고 검지를 캐릭터 시트의 특기 리스트 중《마술》위에 올린다. GM은 아무거나 특기를 하나 선택해서 선언한다. 당신은 눈을 감은 채로 손가락을 움직인다. 눈 떴을 때, GM이 지정한 특기 위에 손가락이 올라가 있다면 원하는【비밀】을 하나 획득할 수 있다. 그렇지 않다면 당신의 PC는【이성치】가 1점 감소한다.

해설 테이블 터닝이나 위저보드, 엔젤님……. 다양한 이름으로 불리는 점.

신속한 일처리
타입
서포트

지정특기 없음

효과 회복판정, 조사판정, 감정판정에서 스페셜이 발생했을 때 사용할 수 있다. 회복판정, 조사판정, 감정판정 중 하나를 한 번 더 할 수 있다.

해설 재빨리 여러 가지 일을 처리하는 재능.

간격
타입
서포트

지정특기 추적

효과 지원행동. 지정특기 판정에 성공하면 당신의 속도를 1점 증가시키거나, 1점 감소시킬 수 있다(속도를 7 이상, 0 이하로 할 수는 없다).

해설 전투 중에 서서히 유리한 위치에 선다.

공감
타입
서포트

지정특기 인내

효과 드라마 장면에 사용할 수 있다. 당신이 플러스【감정】을 가진 캐릭터 1명을 목표로 선택한다. 지정특기 판정에 성공하면 목표가 가진 미공개【광기】중 1장을 무작위로 선택해서 획득한다.

해설 마음이 통하는 상대가 지닌 마음의 어둠을 대신 부담한다.

어빌리티: **서포트**

동요시키기
타입 서포트

지정특기 미디어

효과 드라마 장면에서 사용할 수 있다. 같은 장면에 등장한 캐릭터 중에서 1명을 목표로 선택한다. 지정특기 판정에 성공하면 목표의【비밀】을 당신이 획득했을 때 당신이 쇼크를 받게 되는지를 GM에게 몰래 들을 수 있다.

해설 상대의 동요를 유도하여 정보를 끌어낸다.

속공
타입 서포트

지정특기 효율

효과 전투 중에 속도가 같은 캐릭터가 있어서 1D6을 굴려 순서를 정할 때 사용할 수 있다. 지정특기 판정에 성공하면 그 1D6의 수치를 2점 증가시킬 수 있다.

해설 적의 빈틈을 찾아내어 먼저 행동한다.

연금술
타입 서포트

지정특기 화학

효과 전투가 끝날 때 행동불능이 된 괴이 에너미가 있다면 사용할 수 있다. 지정특기 판정에 성공하면 진통제를 하나 획득할 수 있다

해설 괴이의 시체에서 특수한 화합물을 정제한다.

심령사진
타입 서포트

지정특기 카메라

효과 드라마 장면에서 사용할 수 있다. 지정특기 판정에 성공한 경우, 그 장면에 등장한 캐릭터 중에서 속성이 괴인 에너미나 본인이 괴이임을 나타내는【비밀】을 가진 캐릭터가 있다면 그 사실을 GM이 가르쳐준다(해당하는 자가 여럿이라면 누가 해당하는지는 들을 수 없다).

해설 괴이의 기척을 사진으로 찍는다.

다우징
타입 서포트

지정특기 지저

효과 드라마 장면에서 사용할 수 있다. 지정특기 판정에 성공하면 1D6을 굴린다. 그 눈이 1이라면 진통제, 2~3이라면 무기, 4~5라면 부적을 하나 획득한다. 주사위 눈이 6이라면 그 시나리오에 등장한 괴이 에너미가 등장한다(괴이 에너미가 등장하지 않는 시나리오에서는 아무 일도 일어나지 않는다). 이때 이 어빌리티의 사용자는 괴이 분야에서 무작위로 특기 하나를 선택하여 공포판정을 한다. 그 공포판정에 성공하면 해당 괴이의【거처】를 획득한다.

해설 봉이나 진자로 땅속에 묻힌 것을 찾는다.

최면술
타입 서포트

지정특기 인류학

효과 드라마 장면에서 사용할 수 있다. 같은 장면에 등장한 캐릭터 중에서 1명을 목표로 선택한다. 지정특기 판정에 성공하면 그 장면 동안 목표가 습득한 서포트 어빌리티를 자신이 습득한 것처럼 사용할 수 있다.

해설 최면상태로 만들어서 자신에게 유리하게 이용한다.

어빌리티: **장비**

행운
타입 장비

지정특기 없음

효과 회복판정, 조사판정, 감정판정의 스페셜치가 10이 된다.

해설 매우 운이 좋다.

신앙심
타입 장비

지정특기 없음

효과 당신의 판정 결과가 스페셜이면 부적을 하나 획득한다.

해설 어떠한 종교나 사상, 취미 등 강한 신앙을 가지고 있다.

마도서
타입 장비

지정특기 없음

효과 지정특기가 괴이 분야인 특기 판정을 세션 중 한 번만 주사위를 굴리지 않고 자동으로 성공할 수 있다(스페셜은 아니다).

해설 이 세계의 비밀이 적혀있는 비전서.

영감
타입 장비

지정특기 없음

효과 현상 에너미를 공격할 때, GM이 지정한 특기가 아니어도 펌블치가 증가하지 않고 -5의 수정도 적용하지 않는다. 또, 괴이 에너미의 공격에 대해 회피판정을 할 때 +1의 수정을 적용한다.

해설 보일 리가 없는 것이 보인다.

인도자
타입 장비

지정특기 없음

효과 괴이 에너미와 전투를 할 때 대미지를 1점 경감할 수 있다. 또, 부적을 소비할 때마다 대미지를 2점씩 더 경감할 수 있다. 단, 이 효과로 대미지를 0 이하로 만들 수는 없다.

해설 당신을 인도해준 봉마인 스승.

비밀결사
타입 장비

지정특기 없음

효과 세션이 끝날 때, 「배드엔드표」를 사용하지 않았고 당신이 착란상태가 아니라면, 당신의 현재화한 【광기】 수만큼 공적점을 획득한다.

해설 뒤에서 음모를 꾸미는 비밀결사의 일원.

어빌리티: 「사실은 무서운 현대 일본」

동정/처녀
타입 서포트

지정특기 부끄러움

효과 당신이 괴이에게 대미지를 입었을 때 사용할 수 있다. 지정특기 판정에 성공하면 그 대미지를 1D6점 감소할 수 있다. 이 어빌리티는 PC 중에 행동불능이 된 자가 1명 이상 있으면 사용할 수 없다.

해설 왠지 불가사의한 힘에 보호받아, 최초의 희생자가 되는 일이 드물다.

기계공격
타입 공격

지정특기 기계

효과 목표 1명을 선택하여 명중판정을 한다. 명중판정이 성공하고 목표가 회피판정에 실패하면, 목표에게 3D6점의 대미지를 입힌다. 단, 이 효과로 목표가 행동불능이 되지 않았다면, 이 어빌리티의 사용자는 괴이 특기분야에서 무작위로 특기 하나를 선택하여 공포판정을 한다. 이 효과는 한 전투당 1회만 사용할 수 있다.

해설 중장비나 차 등을 사용한 공격.

과학적 설명
타입 서포트

지정특기 교양

효과 누군가가 괴이와 만나서 공포판정을 할 때 사용할 수 있다. 지정특기 판정에 성공하면 그 판정에 +2의 수정이 적용된다.

해설 괴이에 대해 억지로 말이 될 만한 설정을 갖다 붙인다.

링크 모음 사이트
타입 서포트

지정특기 미디어

효과 당신이 공포판정에 실패했을 때 사용할 수 있다. 지정특기 판정에 성공하면 공적점을 1점 획득할 수 있다. 이 효과로 공적점을 4점 이상 획득할 수는 없다.

해설 자기가 체험한 무서운 일을 WEB 게시판에 적는다. 무서우면 무서울수록 당신의 팬은 늘어날 것이다.

호러 마니아
타입 장비

지정특기 없음

효과 세션이 시작할 때 괴이 에너미를 아무거나 두 종류 선택한다. 그 세션 동안 그 에너미와 만났을 때의 공포판정에 자동으로 성공한다.

해설 영화, 소설, 만화…… 다양한 작품을 통해 공포를 접했다.

명명
타입 서포트

지정특기 민속학

효과 당신이 그 세션에서 처음 보는 괴이 에너미와 만날 때 사용할 수 있다. 에너미의 이름을 생각하고 지정특기 판정을 한다. 성공하면 그 세션 동안 해당 에너미에 대해 조사판정이나 명중판정을 할 때 달성치가 1점 증가한다. 이 효과는 동종의 에너미에게는 누적되지 않는다.

해설 이름을 붙여서 그 괴물을 속박한다.

어빌리티: 「광란의 20년대」

원스 어폰 어 타임
타입 서포트

지정특기 없음

효과 당신이 누군가를 행동불능으로 만들었을 때 사용할 수 있다. 당신의 무기를 1개 소비하면 또 한 번 공격을 할 수 있다.

해설 옛날은 뭐든지 대범한 시대였다.

위대한 개츠비
타입 서포트

지정특기 없음

효과 당신이 판정을 위해 주사위를 굴린 후에 사용할 수 있다. 아무거나 아이템을 1개 소비하면 그 판정의 달성치를 1점 증가시킬 수 있다.

해설 파란만장하고 화려한 인생.

에비에이터
타입 서포트

지정특기 탈것

효과 당신이 참가하지 않은 제2라운드 시작부터 사용할 수 있다. 지정특기 판정에 성공하면 그 전투에 참가할 수 있다. 속도는 1D6을 굴려서 무작위로 결정한다. 그 속도에 당신 이외의 캐릭터가 있다면 그중에서 원하는 만큼 목표를 선택한다. 목표에게 1D6점의 대미지를 입힌다(버팅은 발생하지 않는다).

해설 비행기나 기구 등에 타고 시원스럽게 날아든다.

뜨거운 것이 좋아
타입 서포트

지정특기 없음

효과 당신이 감정판정에 성공해서 서로 플러스【감정】을 획득했을 때 사용할 수 있다. 당신과 감정판정의 목표 중 한쪽을 목표로 하여 회복판정을 한 번 할 수 있다.

해설 화끈하고 뜨거운, 정열적인 키스.

언터처블
타입 장비

지정특기 없음

효과 착란상태가 되어도【생명력】이나【이성치】소비 없이「블록」,「지원행동」,「서포트 어빌리티」를 사용할 수 있다.

해설 공포나 유혹에 굴하지 않는 성실한 정신의 소유자.

스카 페이스
타입 서포트

지정특기 협박

효과 당신이 누군가에게 대미지를 입혔을 때 사용할 수 있다. 같은 장면에 있는 당신 이외의 캐릭터 1명을 목표로 선택한다. 지정특기 판정에 성공하면 목표의【이성치】를 1점 감소시킬 수 있다.

해설 암흑가의 방식으로 겁을 준다.

어빌리티: 「빅토리아의 어둠」

신사/숙녀
타입 서포트

지정특기 없음

효과 당신이 플러스【감정】으로 감정수정을 했을 때 사용할 수 있다. 추가로 달성치를 1점 증가시킬 수 있다.

해설 예의 바르고 고결한 인물.

동양 격투술
타입 공격

지정특기 구타

효과 목표 1명을 선택하여 명중판정을 한다. 명중판정이 성공하고 목표가 회피판정에 실패하면, 목표에게 1D6점의 대미지를 입힌다. 또, 라운드가 끝날 때 목표의 속도를 대미지 결정 시에 굴린 1D6의 눈과 같은 속도로 변경한다.

해설 바리츠, 센도를 비롯한 동양의 격투기.

고귀한 신분
타입 장비

지정특기 없음

효과 이 어빌리티를 습득한 캐릭터에 대해 마이너스【감정】을 획득한 캐릭터는【생명력】이나【이성치】가 1점 감소한다.

해설 군림하는 왕후 귀족들.

영매
타입 서포트

지정특기 영혼

효과 당신이 장면 플레이어인 드라마 장면에 사용할 수 있다. 당신의【이성치】를 1점 감소시키고, 사망한 캐릭터 1명을 목표로 선택한다. 지정특기 판정에 성공하면 목표에 대해 조사판정을 할 수 있다.

해설 죽은 자의 말을 전할 수 있는 인물.

아편
타입 장비

지정특기 없음

효과 이 어빌리티는《약품》특기를 습득하지 않으면 습득할 수 없다. 아이템 진통제를 사용하면 추가로【생명력】이나【이성치】를 1점 더 회복할 수 있다.

해설 모르핀을 대량으로 포함한 마약. 높은 진통작용이 뛰어나지만, 자주 사용하면 폐인이 된다.

식민지 경험자
타입 장비

지정특기 없음

효과 생물 에너미를 공격하면 명중판정에 +1의 수정이 적용되고 대미지가 1D6점 증가한다.

해설 인도나 이집트 등 영국의 식민지에서 거친 인생을 보냈다.

❷ 공포 주머니

이 항목에서는 『인세인』의 선택 규칙 중에서도 특히 게임 마스터를 위한 규칙을 소개합니다. 취급 자체는 다른 선택 규칙과 다를 것이 없지만, 주로 게임 마스터가 시나리오를 만들 때 이용할 수 있는 것과 세션 중에 즉흥적으로 이용할 수 있는 것이 있습니다.

공포 주머니의 소재를 잘 활용해서 음침한 분위기의 세션을 연출하기 바랍니다.

2.01 반응표

시나리오에 따라서는 PC들이 경찰이나 군대에 사건 해결에 협력해 달라고 의뢰할지도 모릅니다. 시나리오의 무대가 일상적인 상황이라면, 플레이어들은 사건 해결을 적당한 기관에 위탁하는 것이 자연스럽다고 생각할 수도 있습니다.

게임 마스터가 그런 상황을 상정하지 않았다면 「반응표」를 사용할 수 있습니다. 협력을 의뢰한 PC는 2D6을 굴려서 「반응표」의 결과를 따릅니다. 「반응표」는 한 장면에 1회까지 사용할 수 있습니다.

미리 양해를 구해두면 「반응표」를 사용하더라도 경찰이나 군대는 사건에 적극적으로 관여하지 않습니다. 그러기는커녕 여러모로 귀찮은 사태가 벌어질 가능성도 있습니다.

2.02 호러 스케이프

이 선택 규칙은 공포판정을 위한 이벤트를 무작위로 결정하기 위한 것입니다. 이번에는 다양한 상황에 맞춘 호러 스케이프라는 표를 6개 준비했습니다. 이 호러 스케이프들은 일단 「사실은 무서운 현대 일본」 월드 세팅에 대응하는 것이지만, 세세한 묘사를 변경해서 다른 월드 세팅에서도 사용할 수 있습니다.

2.02.01 호러 스케이프의 사용

게임 마스터는 시나리오의 설정이나 PC가 처한 상황에 맞춰서 어느 호러 스케이프를 사용할지 결정합니다.

각 호러 스케이프에는 그 이벤트가 일어날 만한 상황이 설정되어 있습니다. 어떤 상황에서 그 호러 스케이프를 사용할지는 각 표의 해설을 참고하기 바랍니다.

사용할 호러 스케이프를 정했다면, 게임 마스터는 1D6을 굴려 어떤 이벤트를 일으킬지 결정해서 해당 묘사를 읽어줍니다. 타이밍과 묘사의 결과에 따라서는 부조리한 전개가 일어날 수도 있습니다. 하지만 너무 신경쓸 필요는 없습니다. 이벤트를 묘사하고 효과를 처리한 후에 「그것은 공포나 광기가 보여준 백일몽이었을지도……」라고 말하고 다음 처리로 넘어갑니다.

2.02.02　NPC의 비밀

호러 스케이프를 사용해서 시나리오상 그다지 중요하지 않은 NPC의 【비밀】을 무작위로 설정할 수도 있습니다. 그 NPC에 대한 조사판정에 성공하면 시나리오를 작성할 때 정해둔 특정 호러 스케이프의 내용이 발생합니다. 그 NPC의 비밀에 「호러 스케이프 야외(표 이름) - 5(각 이벤트의 번호)」와 같이 기재합니다. 준비할 때에는 【비밀】의 내용에 「호러 스케이프」라고만 써두고, 세션 중에 그 【비밀】이 공개된 순간 즉흥적으로 호러 스케이프의 결과를 결정할 수도 있습니다. 어느 호러 스케이프를 사용할지는 상황에 맞춰서 게임 마스터가 결정합니다.

	반응표
2	「잠깐 이쪽으로 와주시겠습니까?」 갑자기 체포되어 구속된다. 「반응표」를 사용한 캐릭터는 이 장면이 끝나고 두 장면 동안 자신이 장면 플레이어가 아닌 장면에 등장할 수 없다(마스터 장면에는 등장 가능).
3	「내가 협력할 수 있는 건 여기까지다.」 협력을 요청받은 인물은 두려움에 떨며 손에 든 꾸러미를 당신에게 떠넘긴다. 「반응표」를 사용한 캐릭터는 아무거나 아이템을 1개 획득한다.
4	「그건 조사 중입니다. 정보 제공에 감사드립니다.」 협력을 요청받은 인물은 싱글벙글 웃으면서 그렇게 대답한다. 무슨 말을 해도 같은 대답밖에 돌아오지 않는다. 「반응표」를 사용한 캐릭터는 【이성치】를 1점 감소한다.
5	「혹시 너, 그 사건의 관계자냐……?」 아무래도 협력을 요청받은 인물도 마침 같은 사건을 조사하던 모양이다. 이것저것 정보를 제공해줄 것 같다. 「반응표」를 사용한 캐릭터는 이후 조사판정을 할 때 +1의 수정을 적용한다.
6	「꿈이라도 꾼 거 아니에요?」 아무리 열심히 호소해도 믿어주지 않는다. ……혹시 이상한 건 나인가? 정서 특기분야에서 무작위로 특기 하나를 선택하여 공포판정을 한다.
7	「아, 됐고, 우리도 바쁘다고.」 이것저것 이야기해봐도 상대해주지 않는다. 문전박대를 당한다.
8	「잠시 몸수색을 해봐도 될까요?」 수상한 인물로 여겨진 듯하다. 「반응표」를 사용한 캐릭터가 아이템이나 불법적으로 보이는 프라이즈를 가지고 있으면, 이 장면이 끝나고 두 장면 동안 자신이 장면 플레이어가 아닌 장면에 등장할 수 없다(마스터 장면에는 등장할 수 있다).
9	「마음에 걸리는 이야기로군요. 저도 조사해보죠.」 정성껏 상담을 들어준다. 뭔가 알아내면 연락해준다고 하는데……. 1D6을 굴린다. 홀수라면 두 장면 후에 정보를 준다. 「반응표」를 사용한 캐릭터는 임의의 【비밀】을 하나 획득한다. 짝수라면 조사를 하던 NPC가 수수께끼의 죽임을 당한다. 「반응표」를 사용한 캐릭터는 지식 특기분야에서 무작위로 특기 하나를 선택하여 공포판정을 한다.
10	「목숨이 아깝다면 더 이상 관여하지 마.」 당신은 인기척이 없는 장소에 끌려가서 얻어맞았다. 협력을 요청받은 인물은 협력을 요청한 당신을 거칠게 거절한다. 「반응표」를 사용한 캐릭터는 【생명력】을 1점 감소한다.
11	「알겠습니다. 만약을 위해서 순찰을 강화하겠습니다.」 신변 보호를 약속받았다. 「반응표」를 사용한 캐릭터는 이 세션 동안 한 번만 자신이 받은 대미지를 무효로 할 수 있다. 대미지를 무효로 했다면 「반응표」를 사용한 캐릭터는 폭력 특기분야에서 무작위로 특기 하나를 선택하여 공포판정을 한다.
12	「……이게 뭐야!?」 협력을 요청받은 상대가 갑자기 죽는다. 녀석들의 손은 이런 곳까지 닿고 있었단 말인가? 「반응표」를 사용한 캐릭터는 폭력 특기분야에서 무작위로 특기 하나를 선택하여 공포판정을 한다.

호러 스케이프 1
회화 중에 생겨나는 공포

이 호러스케이프는 PC가 누군가와 이야기를 나눌 때 사용합니다. 장면 플레이어의 PC가 -2의 수정을 적용하여 지정특기로 공포판정을 합니다.

호러 스케이프 1
1 《죽음》

당신은 이야기를 나누다가 문득 상대의 어깨 너머를 본다.

아무런 전조도 없이, 멀리 떨어진 건물의 옥상에서 여자가 뛰어내렸다.

그녀는 소리를 지를 틈도 없이 빨려 들어가듯 지면으로 떨어진다. 거리가 있음에도 불구하고, 여자와 눈이 마주치고 말았다.

──그 이후, 여자의 얼굴이 뇌리에 달라붙어 떨어지지 하지 않는다…….

호러 스케이프 1
2 《구타》

지면에 쓰러진 상대를 보며, 당신은 식은땀이 등을 타고 흐르는 것을 느꼈다.

상대는 부자연스럽게 몸을 뒤튼 채로 쓰러져서 꿈쩍도 하지 않는다. 조금씩 피 웅덩이가 넓어진다…….

──죽여버렸다.

당황해서 눈을 깜빡인 순간, 상대의 몸은 사라졌다. 피 웅덩이도 없어졌다.

당신은 멍하니 그 자리에 서 있다. 환각이었나……?

3 《전자기기》

당신이 전화로 상대와 이야기하는데 갑자기 상대가 입을 다문다.

「……저게 뭐야?」

상대가 혼잣말처럼 중얼거리더니, 그때부터 당황한 듯한 목소리를 낸다.

「오지 마……. 오지 마! 우왁! 우와아아아! 살려줘! 살려줘!!」

그것을 끝으로 전화는 뚝 끊긴다. 다시 걸어보니 통화 중이다. 계속.

4 《소리》

당신이 전화로 상대와 이야기하는데 중얼거리는 소리가 들린다.

혼선일까? 이상하다 싶어서 듣고 있는 사이에 머리가 멍해진다.

중얼중얼, 중얼중얼, 중얼중얼, 중얼중얼…… 목소리가 들린다.

정신을 차리고 보니 전화를 든 채로 멍하니 서 있었다.

통화는 끊겼다. 무슨 이야기를 했는지 기억이 안 난다.

단지 엄청나게 무서운 이야기를 들은 것 같은 기분이 든다.

애초에 당신은 누구와 이야기하고 있었던 걸까?

5 《고문》

이야기를 나누다가 피 맛을 느꼈다.

동시에 입안에서 뭔가가 굴러다니는 위화감을 느낀다.

상대가 새파랗게 질리면서 당신의 얼굴을 가리킨다.

무슨 일이냐고 물으려고 입을 열자 뭔가가 지면에 툭 떨어졌다.

내려다보니 피 웅덩이 속에 당신의 하얀 이빨이 하나 떨어져 있다.

6 《인류학》

당신은 이야기를 나누다가 시야에 위화감을 느끼고 눈을 깜빡인다.

상대의 얼굴이, 이상해졌다.

잡아 늘여서 휘저은 것처럼 그로테스크하게 찌그러졌다.

깜짝 놀라서 다시 바라봤지만, 여전히 일그러져 있다.

상대는 전혀 눈치채지 못한 것 같다. 눈을 힘껏 감았다가 다시 보니 겨우 원래대로 돌아왔다.

당신의 마음에 한 가지 의심이 생긴다. 눈앞의 상대는 정말로 인간일까?

호러 스케이프 2
거리에서 마주치는 공포

이 호러 스케이프는 PC가 거리를 수색할 때 사용합니다. 이 장면에 등장한 PC 전원이 지정특기로 공포판정을 합니다.

---

1 《탈것》

끼이이——익!! 세찬 브레이크 소리, 그리고 둔탁한 소리가 들렸다.
깜짝 놀라 돌아보니 멈춘 차와 그 앞에 쓰러진 사람이 보였다. 교통사고다!
서둘러 달려가 피해자의 얼굴을 본 순간, 당신은 얼어붙었다.
쓰러져 있는 것은, 당신이었다.
——어!? 놀라서 눈을 깜빡이자 길 위의 당신도, 차도 이미 없었다.

---

2 《풍경》

길가에 있는 집 지붕 위에 누군가가 서 있다.
저런 곳에서 뭘……?
그 사람은 춤을 추고 있는 것처럼 보였다. 손발을 휘두르고 머리를 세차게 움직이며 춤추고 있다. 정상적인 모습이 아니다. 미친 듯이 춤을 추고 있다.
보고 있는 사이에 엄청나게 불길한 기분이 들었다. 보고 싶지 않은데 왠지 눈을 돌릴 수 없다. 불길한 예감이 점점 강해진다…….

---

3 《종말》

우우우우우우우우우…………
거리에 사이렌이 울린다.
어디에서 울리고 있는 걸까? 언제까지 울리는 걸까?
이렇게 소리가 큰데 어째서 아무 소란도 일어나지 않는 걸까.
이상하게 여기며 걷고 있는데 길 건너편에서 걸어오는 누군가가 보인다. 다치기라도 했는지 비틀거리며, 지금이라도 쓰러질 것처럼 흐느적흐느적 부자연스러운 걸음걸이로 걸어온다.
저건 도대체……?

4 《협박》

걷고 있는데 갑자기 조용해졌다. 주위를 둘러보니 사람도 차도, 아무것도 없다.
아무도 없는 거리가 끝없이 펼쳐져 있다. 아까까지 사람이 많이 있었는데……!?
「야! 뭐 하는 거야!」
갑자기 누가 화를 내서 움찔했다.
돌아보니 작업복을 입은 남성이 이쪽으로 달려오고 있었다.
「바보 자식! 이런 곳에 오면——」
말이 끝나기도 전에, 갑자기 소리가 돌아온다.
사람과 차가 오가는 원래의 거리다. 지금 그건 뭐였지……?

5 《혼돈》

전봇대 아래에 여성이 웅크리고 앉아 있다.
배를 부여잡고 괴로운 듯이 고개를 숙이고 있다.
「괜찮으세요?」
다가가서 말을 건 당신에게 여성은 끄덕였다.
「네—— 감사합니다.」
그렇게 말하며 고개를 든 여성의 얼굴에는 아무것도 없었다. 껍질을 깐 반들반들한 달걀 같은 피부가 있을 뿐이었다.
우왁!? 몸을 젖힌 순간 의식이 멀어지더니, 정신을 차리자 당신은 전봇대 아래에 웅크리고 앉아 있었다.

6 《웃음》

역에 도착하니 묘하게 혼잡했다. 인명사고로 전철이 멈춘 모양이다. 재수 없구먼. 그렇게 생각하던 참에 개표구 근처의 인파 속에서 전통복 차림의 여성이 빠른 걸음으로 당신 쪽으로 다가왔다.
여성은 만면에 웃음을 띠고 있었다. 혼잣말을 하는 건지 입이 움직이고 있다.
스쳐 지나가면서 여성의 목소리가 귀에 들렸다.
「해냈다, 해냈어. 해냈다, 해냈어. 해냈다, 해냈어. 꼴 좋다.」
어!? 놀라서 돌아보는 당신을 남겨두고, 여성은 인파 속으로 사라졌다.

호러 스케이프 3
갑자기 찾아오는 공포

이 호러 스케이프는 PC가 자택이나 학교, 직장처럼 자신이 잘 아는 건물에 있을 때 사용합니다. 이 장면에 등장한 PC 전원이 지정특기로 공포판정을 합니다.

호러 스케이프 3
1《놀람》

다다다다다! 갑작스러운 소리에 당신은 흠칫 놀라서 올려다본다. 천장 위에서 뭔가가 돌아다니고 있는 모양이다. 동물이라도 기어들어 왔나? 그런 것치고는 소리가 크다.
——마치 어린아이가 제멋대로 달려 다니는 듯한.
소리는 한순간 멈췄다가, 곧 다시 들린다.
쿵! 쿵! 쿵! 쿵!
뜀박질 소리가 들리는 곳은 정확하게 당신의 머리 위다…….

호러 스케이프 3
2《우주》

창문에서 빛이 들어온다.
하늘로 눈을 돌리니 하얗게 빛나는 거대한 비행물체가 떠 있었다. 매료되어 바라보는 사이에 새나 비행기라고는 생각할 수 없는, 격렬하고 불규칙한 움직임으로 날아다니기 시작한다.
뭐지, 저건? 이상하게 여기고 있는데 뒤에서 누군가가 속삭였다.
「저건 ……야.」
퍼뜩 정신을 차리니 어느새 전혀 다른 장소에 있었다.
손바닥에서 뭔가가 박혀있는 듯한 단단한 감촉이 느껴진다…….

3 《냄새》

기묘한 물건이 배송됐다.

테이프로 둘둘 말린 커다란 골판지 상자다. 보낸 사람의 이름이 적힌 종이가 붙어있지만, 글씨가 번져서 읽을 수 없다.

상자의 내용물은 흙이었다. 도자기의 파편이나 돌멩이가 섞인, 이상한 냄새가 나는 흙이 들어 있었다.

정체를 알 수 없어서 내용물은 버렸는데, 그 이후 왠지 재수가 없는 듯한 기분이 든다…….

4 《인내》

벽 너머에서 누군가가 이야기를 하는 소리가 들린다.

「……니까. 이 녀석은……해야지.」「그래……. ……하다고. ……해야지.」

속닥속닥, 속닥속닥……. 음침한 분위기의 대화가 계속된다. 무슨 이야기를 하는 건지 내용은 잘 모르겠지만, 왠지 자신에 대해 이야기하는 것 같아서 기분이 나쁘다.

신경이 쓰여서 벽에 귀를 가져다 댔을 때, 또렷한 목소리가 벽 너머에서 이렇게 말했다.

「……저기, 잘 듣고 있어?」

5 《촉감》

똑, 똑.

목덜미에 떨어진 미지근한 물방울의 감촉에 당신은 이맛살을 찌푸렸다.

어느새 책상 위에 빨간 물방울이 떨어지고 있다. 비린내가 코를 찌른다.

똑, 똑, 똑. 물방울은 기세를 더하여 연달아 떨어져서 책상 위에 퍼진다.

천천히 올려다보니, 천장에는 검붉은 얼룩이 크게 번져 있었다.

똑. 똑똑. 똑.

──투두둑!

점점 커지는 물소리에 당신은 꼼짝도 못 한다.

천장 위에서, 도대체, 뭐가……?

6 《지저》

잘 아는 장소에서 낯선 문을 발견했다.

열어보니 아래로 내려가는 긴 계단이 어둠 속으로 이어져 있다.

수상하게 여기며 내려가 보니…… 그곳은 지하실이었다.

이런 장소가 있었다니.

조명을 한 손에 들고 들어가니 뭔가가 다가오는 기척이 느껴진다.

어둠 속에서, 누군가가, 당신의 이름을 불렀다.

호러 스케이프 4
폐허에서 마주치는 공포

이 호러 스케이프는 PC가 폐허나 낡은 저택 같은 곳을 수색할 때 사용합니다. 이 장면에 등장한 PC 전원이 지정특기로 공포판정을 합니다.

호러 스케이프 4
1 《암흑》

무겁고 단단해 보이는 문을 연다.
방 안은 어두웠다. 조명을 켜보니 다른 방으로 이어지는 길을 몇 개 찾았다.
특별히 눈에 띄는 것도 없었다. 일단 입구로 돌아가려고 들어온 문 쪽을 돌아본다.
거기에는 벽밖에 없었다. 그 중후한 문이 없어졌다.
이런 말도 안 되는 일이…….
하지만 아무리 찾아봐도 어느 벽에도 문 같은 것은 보이지 않는다.
어쩔 수 없이 통로를 걷기로 했는데, 점점 불길한 기분이 치밀어 오른다.
……그 문은, 열어서는 안 되는 것이 아니었을까?

호러 스케이프 4
2 《정리》

당신은 폐허 속에서 부—웅…… 하는 낮은 소리를 들었다.
냉장고다. 어딘가에서 전기가 들어오고 있는지 폐허 구석에 하얀 냉장고가 쓸쓸히 놓여있다.
딸깍, 문을 당겨서 열어본 당신은, 안에 있던 뭔가와, 눈이 마주쳤다.
……정신을 차리고 보니 당신은 어둡고 차가운 곳에 몸을 웅크리고 있다.
부—웅…… 하는 소리가 들린다. 여기는 시원하고, 좁고— 매우 기분이 좋다.

호러 스케이프 4

3《추적》

폐허의 장지문을 열었을 때 당신은 강한 위화감을 느꼈다.
두껍게 먼지가 쌓인 그 방에서는 방금까지 사람이 있었던 기척을 느낄 수 있었다.
밥상 위에는 내용물이 남아있는 찻잔. 아까까지 누군가가 앉아 있었던 것처럼 움푹 팬 방석.
왜 이 거실은 이렇게 생활감이 느껴지지……?

호러 스케이프 4

4《친애》

폐허를 걷고 있는데 갑자기 당신의 핸드폰에 전화가 걸렸다.
조용한 폐허에 울리는 착신음에 깜짝 놀라서 받아보니, 전화 너머에서 당신의 할머니가 갑자기 호통을 쳤다.
「너, 뭘 하는 거니! 그런 곳에 가면 안 되잖니!」
어? 왜 할머니가……?
「빨리 거기에서 나와! 그러다가 큰일 나!」
뭐가 뭔지 몰라서 우물거리고 있는 사이에 전화는 끊어졌다.
디스플레이에는 「통화권 이탈」이라고 표시되어 있다.

호러 스케이프 4

5《함정》

폐허를 걷고 있는데 갑자기 발에서 격통이 느껴졌다.
비명을 삼키며 아래를 보니, 짐승을 잡을 때 쓰는 덫이 당신의 발목을 꽉 물고 있다.
왜 이런 곳에 이런 함정이……?
겨우 덫을 해제하고 다시 주위를 봤을 때, 당신은 깜짝 놀랐다.
함정은 하나가 아니었다. 건물의 잔해에 가려지도록 설치한 수없이 많은 덫이 그곳에 있었다.

호러 스케이프 4

6《약품》

갑자기 시너 냄새가 코를 찔렀다. 폐허의 벽에 빨간 페인트로 끈적끈적한 문자가 적혀 있다.
무슨 내용인지는 잘 모르겠지만 한결같은 악의와 증오를 그대로 칠해낸 듯한 터치에 오싹한 기분이 든다.
그러다가 어떤 사실을 깨닫고, 당신은 소름이 돋았다.
페인트가 아직 새것이다. ……방금 칠한 것처럼 새것이다.

호러 스케이프 5

야외에서 마주치는 공포

이 호러 스케이프는 PC가 숲속이나 해변 같은 곳을 수색할 때 사용합니다. 이 장면에 등장한 PC 전원이 지정특기로 공포판정을 합니다.

호러 스케이프 5

1 《아픔》

부————웅.
귓가에 날카로운 날갯소리가 들린다.
본 적도 없는 새빨간 날벌레 떼가 날아왔다.
부————웅.
날벌레를 쫓으려고 팔을 휘두른다.
아얏!
팔에서 무언가에 찔린 통증이 느껴진다.
부————웅.
벌레들은 어딘가로 떠났다.
순식간에 팔의 표면에서 기분 나쁜 물집이 우둘투둘 부어올랐다.

호러 스케이프 5

2 《꿈》

나무 사이로 뭔가 커다란 것이 움직이는 모습이 보인다.
살이 썩는 듯한 악취가 코를 찌른다.
얼룩무늬의 저것은…… 모피? 아니면 갈기갈기 찢긴 옷 조각?
그 녀석이 당신을 봤다.
나뭇잎 사이로 이쪽을 보는 눈은, 완전히 사람과 같은——
눈이 마주친 순간부터 기억이 없다. 정신을 차리니 인간의 머리카락과 흡사한 검은 털이 당신의 전신에 붙어 있었다.

호러 스케이프 5

3 《원한》

숲속에서 맞닥뜨린 거목의 줄기에는 수많은 짚
인형이 못 박혀 있었다.
우와아…… 하고 놀라며 올려다보다가 우울한
사실을 알아차리고 말았다. 새로 못박힌 짚인
형 중 하나에 이름표가 붙어 있었다.
──굉장히, 낯익은 이름이었다.

호러 스케이프 5

4 《심해》

……어~이.
……어~~~이.
멀리서 누군가가 부르는 기분이 들어 파도 사
이를 바라본다.
반들반들한 검은 그림자가 떠오르고 가라앉기
를 반복하며 당신을 부르고 있다.
하나, 둘, 셋, 넷…… 일곱 명.
일곱 명의 검은 그림자가 파도 속에서 당신에
게 손을 흔들고 있다.
──왠지, 머리가 멍해졌다.

호러 스케이프 5

5 《그늘》

덤불 속에 폐차가 파묻혀 있다.
별다른 특징이 없는 하얀 밴이다.
창문은 새까만 검댕으로 더럽혀져서 아무것도
보이지 않는다.
차체는 녹이 슬었고, 염료도 벗겨졌다. 누가 봐
도 버려진 지 오래된 폐차였다.
──그런데, 폐차 안으로부터 찌르는 듯한 시
선이 느껴진다.
록을 해제하는 소리가 들리고, 천천히 뒷좌석
의 문이 열리기 시작한다…….

호러 스케이프 5

6 《소각》

타닥…… 타닥…….
불이 타오르는 소리가 난다.
빈터에서 모닥불이 타오르고 있었다. 곁에는
아무도 없다.
훈훈한 기분에 멈춰 서서 나뭇가지로 모닥불
을 휘젓는데, 불 속에서 발랄한 웃음소리가 들
렸다.
흠칫 놀란 당신의 발치를 고양이만 한 크기의
무언가가 스치고 지나간다.
다시 모닥불을 바라보니, 그곳에는 그저 그을
린 뼈들이 남아있을 뿐이었다.

호러 스케이프 6

정보 속에 숨어있는 공포

이 호러 스케이프는 PC가 문헌이나 인터넷 등을 통해 조사할 때 사용합니다. 장면 플레이어의 PC가 -2의 수정을 적용하여 지정특기로 공포판정을 합니다.

호러 스케이프 6

1 《맛》

목이 말랐다.

조사를 시작한 지 제법 시간이 지났다. 아무래도 너무 몰두한 모양이다.

다시 화면을 보며 페트병의 물을 입에 머금는다. 그러자 입안에서 위화감이 퍼졌다.

견디지 못하고 물을 뱉어냈더니 새까만 액체가 책상 위의 자료를 더럽혔다.

입안에서 시궁창 같은 악취가 떠나지 않는다.

다시 페트병의 물을 확인해보니 그냥 투명한 물인데……?

호러 스케이프 6

2 《카메라》

자료 중에서 누렇게 변한 봉투에 들어있는 사진 다발이 나왔다.

피사체는…… 당신이다.

모르는 사이에 찍힌 당신의 사진이 수십 장이나 한 묶음이 되어 들어있다.

색이 바랜 사진을 아무렇게나 동여맨 고무줄이 낡아서 끈적거렸다.

──누가 이런 사진을? 무슨 목적으로?

호러 스케이프 6

3 《미디어》

TV의 뉴스를 보고 있는데 그때까지 쉬지 않고 떠들던 아나운서가 갑자기 입을 다물었다.
의아해하고 있는데 아나운서가 기묘한 말을 하기 시작했다.
「죽을 수도 있다고 했습니다. 또, 높은 확률로 재앙이 일어납니다. 오늘부터 내일까지 철저하게 경계하세요. 경계하세요. 경계하세요.」
아나운서는 화면 너머에서 당신의 눈을 지그시 보고 있다.
당신이 당황하자 저절로 TV의 전원이 꺼졌다.

호러 스케이프 6

4 《민속학》

자료를 뒤지다가 어느 외진 마을에서 전해지는 끔찍한 풍습을 찾아냈다.
폭력, 의식, 산 제물. 도저히 정상적인 인간이 할 짓이라고는 생각되지 않는 소행에 몸이 떨렸다.
그 풍습에서 왠지 기시감이 느껴졌다.
이런 걸 어디에서 읽었지? 생각하는 사이에 어떤 기억이 되살아났다.
당신이 어렸을 적의 기억이었다.
아니…… 그런, 말도 안 돼. 우리 고향이, 이런 마을일 리가 없어…….

호러 스케이프 6

5 《마술》

자료 중에 기묘한 고서가 있었다. 가죽 표지가 호화로운 책으로, 묘한 냄새가 난다. 문장은 지리멸렬해서 제정신으로 썼다고는 생각되지 않는다.
하지만 당장에라도 찢어질 것 같은 페이지를 한 장, 한 장 넘기고 있으려니 작가가 무엇을 말하는지 이해가 갔다.
점점, 점점, 이해가 된다.
아아, 이제, 알겠다.
전부 알겠다.
이제 괜찮다.
이 책은 분명 당신이 읽을 때를 위해 쓰인 것이다.

호러 스케이프 6

6 《역사》

표지가 없는 리포트를 발견했다.
훌훌 넘겨보니 바로 당신이 지금 조사하고 있는 건에 대한 조사 보고서였다.
안타깝게도 이곳저곳이 검게 칠해져서 중요한 부분을 알 수 없다. 추측하건대 아무래도 군이 조사했던 모양이다.
군대? 왜 군대가 이 일을 조사한 거지……?

175

2.03 광기의 조정

이것은 【광기】를 써서 세션의 전개를 제어하는 선택 규칙입니다.

【광기】의 트리거에는 다양한 종류가 있습니다. 예를 들어 조사판정이나 감정판정을 트리거로 하는 【광기】는 세션 종반이 되면 공개될 가능성이 줄어듭니다. 따라서 게임 마스터는 세션 전반~중반에 트리거를 충족하기 쉬운 【광기】를 PC가 가능한 한 이른 시기에 획득하기를 바랄 것입니다. 그런 【광기】를 시나리오에 도입할 때는 이 선택 규칙이 유용합니다.

게임 마스터는 세션이 시작하기 전이라면 덱의 【광기】 순서를 마음대로 정할 수 있습니다. 덱의 모든 순서를 정할 필요는 없습니다. 귀찮다면 위에서 몇 장만 손대도 충분합니다. 덱의 순서를 정해두면 게임 마스터가 상정한 전개가 일어날 가능성이 커집니다.

2.03.01 초기 광기

이것은 미리 특정한 【광기】를 가진 상태로 세션을 시작하는 선택 규칙입니다.

게임 마스터는 임의의 【광기】를 1장 선택해서 핸드아웃을 건네줄 때 플레이어에게 건넬 수 있습니다. 이런 【광기】를 초기 광기라고 합니다.

초기 광기는 시나리오의 내용이나 그 PC의 설정(특히 【비밀】)과 밀접하게 관계가 있는 것이 바람직합니다.

초기 광기는 본래의 【광기】 덱과 따로 준비합니다. 덱의 【광기】 수에 초기 광기의 수는 포함되지 않습니다. 또, 초기 광기는 PC 1명당 1장까지로 해둬야 합니다(「불안정한 정신」으로 인한 【광기】와는 따로 준비해도 됩니다).

2.03.02 추가 광기

아래에 추가 【광기】를 소개합니다. 새로운 【광기】를 사용하면 봉마인들이 자기 내면의 어둠에 한층 더 농락당할 것입니다. 게임 마스터는 다양한 【광기】를 음미해서 자신의 시나리오에 어울리는 카드 덱을 작성하기 바랍니다.

Handout

광기	연상되는 공포
트리거	당신이 누군가에게 1점 이상 대미지를 입는다.

당신은 자신을 상처입히는 자가 무섭다. 그리고 그 인물에 관련된 모든 것이 무서워진다. 그 세션 동안, 트리거가 충족되는 계기를 제공한 캐릭터의 모든 특기가 당신의 【공포심】이 된다(미공개 【광기】가 4장 이상이 된 탓에 이 【광기】가 공개되었다면, 무작위로 선택한 특기분야 하나의 특기 전체가 【공포심】이 된다).

이 광기를
스스로 밝힐 수는 없다.

Handout

광기	일그러진 마음
트리거	누군가가 당신을 목표로 조사판정을 해서 【비밀】이나 【정신상태】를 획득한다.

당신의 정신은 공포로 일그러지고 말았다. 이런 정신상태는 그것을 접한 자들에게도 전염된다. 이후, 이 【광기】를 소유한 자의 【비밀】이나 【정신상태】를 획득한 PC는 【광기】를 1장 획득한다.

이 광기를
스스로 밝힐 수는 없다.

Handout

광기	왜 나만?
트리거	당신의 【생명력】이나 【이성치】가 1점 이상 감소한다.

당신은 자신이 이 이상 불행할 수는 없다고 생각한다. 그래서 자신이 불행한 꼴을 당할 때 이렇게 생각한다. 「다른 사람들도 이렇게 되면 좋겠는데」라고. 이후 이 캐릭터와 같은 장면에 등장한, 이 캐릭터 이외의 PC 전원은 회피판정에 -1의 수정을 적용한다.

이 광기를
스스로 밝힐 수는 없다.

Handout

광기	예지몽
트리거	사이클이 끝난다.

당신은 이상한 꿈을 꾼 것을 떠올린다. 그 꿈속에서 누군가가 이상한 행동을 보였는데, 그게 누구였더라……? 【광기】 카드 덱의 카드를 위에서부터 다섯 장까지 본 후, 그중 1장을 획득한다. 그리고 나머지를 임의의 순서로 덱에 되돌린다.

이 광기를
스스로 밝힐 수는 없다.

Handout

광기	불길한 숫자
트리거	같은 장면에 등장한 누군가(당신 포함)가 판정에서 굴린 주사위 눈에 4가 포함되어 있다.

당신은 4라는 숫자가 무섭다. 왜냐하면, 죽을 사(死)를 연상케 하기 때문이다. 트리거를 충족한 캐릭터 중에서 무작위로 선택한 1명에게 2점의 대미지를 입힌다(미공개 【광기】가 네 장 이상이 되어서 이 【광기】가 공개되었다면, 당신이 2점의 대미지를 입는다).

이 광기를
스스로 밝힐 수는 없다.

Handout

광기	과대망상
트리거	당신 이외의 누군가가 아이템이나 프라이즈를 획득한다.

이 세상에서 당신만큼 고귀한 자는 없다. 다른 쓰레기 같은 녀석들이 당신의 앞에 설 수는 없다! 트리거를 충족한 캐릭터 중에서 무작위로 1명을 선택하여, 해당 아이템이나 프라이즈를 뺏고 1점의 대미지를 입힌다(미공개 【광기】가 네 장 이상이 되어서 이 【광기】가 공개되었다면, 당신이 2점의 대미지를 받는다).

이 광기를
스스로 밝힐 수는 없다.

Handout

광기	빙의
트리거	당신의 판정에 스페셜이나 펌블이 발생한다.

씌었구나? 악마인지, 여우인지, 이누가미(犬神)인지……. 당신은 자신에게 누군가가 빙의되었다고 생각한다. 이 【광기】가 공개되었을 때, GM은 빙의한 존재의 이름을 정한다. 당신은 자신이 새로 【광기】를 공개할 때까지 GM이 정한 이름 이외의 이름으로 자신을 부른 캐릭터에게 1점의 대미지를 입힌다.

이 광기를
스스로 밝힐 수는 없다.

Handout

광기	우행
트리거	같은 장면에 등장한 당신 이외의 누군가에 대해 다른 누군가가 플러스 【감정】을 가진다.

냉장고에 들어가 보면 재미있을까? 알몸이 되어 보면 놀랄까? 당신에게는 사소한 장난으로 남의 눈길을 끌고 싶다는 욕구가 있다. 당신의 【거처】를 그 세션에 등장한 캐릭터 전원이 획득하며, 당신의 【이성치】가 1점 감소한다.

이 광기를
스스로 밝힐 수는 없다.

Handout

광기	기묘한 욕구
트리거	누군가가 당신을 목표로 감정판정을 한다.

당신에게는 도저히 입에 담을 수 없는 욕구가 있다. 다들 당신이 그런 짓을 하고 싶다는 것을 알게 되면 어떤 표정을 지을까? 이후, 이 【광기】를 소유한 자의 【비밀】이나 【정신상태】를 획득한 PC는 【이성치】가 1점 감소한다.

이 광기를
스스로 밝힐 수는 없다.

Handout

광기	짜증
트리거	같은 장면에 있는 누군가(당신도 포함)가 판정에 실패한다.

왠지 짜증이 난다. 자잘한 불만이 쌓이고 쌓여 폭발할 것만 같다. 울컥 울컥울컥울컥…… 당신이 가진 아이템을 아무거나 1개 소비한다. 아이템을 소비할 수 없다면 당신이 1점의 대미지를 입는다.

이 광기를
스스로 밝힐 수는 없다.

Handout

광기	폭로
트리거	당신에 대해 누군가가 플러스 【감정】을 획득했다.

말해서는 안 된다. 그렇게 생각하며 참으면 참을수록 발설하고 싶어진다. 친구의 결점, 과거의 오점, 비장의 주문…… 아아, 말하고 싶어. 같은 장면에 있는, 당신에 대해 플러스 【감정】을 가진 캐릭터 전원은 「감정표」를 사용하여 감정의 종류를 다시 정한다. 이때, 속성은 반드시 마이너스 쪽이 된다.

이 광기를
스스로 밝힐 수는 없다.

Handout

광기	적이냐 아군이냐
트리거	당신이 대미지를 입는다.

아군이 아니면 모두 적이다. 당신에게 호의를 내비치지 않는 인간은 전부 죽어야 한다! 그 장면에 있는, 당신에 대해 플러스 【감정】을 가지지 않은 캐릭터 전원(당신은 제외)에게 1점의 대미지를 입힌다.

이 광기를
스스로 밝힐 수는 없다.

2.04   범용 프라이즈

이 항목에서는 다양한 시나리오에서 사용할 수 있는 범용 프라이즈를 소개합니다.

2.04.01   정보계 프라이즈

먼저 소개할 것은 【정보】에 관련된 프라이즈입니다. 이 두 가지 프라이즈에는 【비밀】을 설정해야 합니다.

「주소록」은 누군가의 【거처】를 입수하기 위한 프라이즈입니다. 「주소록」의 【비밀】에는 그 시나리오에 등장하는 캐릭터의 이름이 적어 둡시다. 등장인물 대부분의 이름이 적힌 주소록은 배틀로열 시나리오에서 요긴합니다. 누군가가 「주소록」을 가진 상태로 시나리오를 시작하는 것도 가능합니다.

「일기장」은 시나리오에서 누군가의 【비밀】을 교체하고 싶을 때 사용합니다. 인간은 시간이 흐르면 자신의 기억을 자신에게 유리한 방향으로 바꿔 버릴 때가 있습니다. 이 프라이즈를 사용하면 그런 날조된 기억에 관련

Handout	
이름	프라이즈「주소록」
개요	
언제든지 사용할 수 있다. 이 주소록의 【비밀】에는 이 시나리오에 등장한 어떤 인물들의 이름이 적혀 있다. 이 주소록을 사용하면 해당하는 인물의 【거처】를 획득할 수 있다.	
이 프라이즈를 획득하면 해당하는 【비밀】을 획득할 수 있다. 정보공유는 발생하지 않는다. 소유자 이외의 다른 캐릭터가 조사판정으로 이 【비밀】을 조사할 수는 없다. 드라마 장면에서 프라이즈를 전달할 수는 있다.	

Handout	
이름	프라이즈「일기장」
개요	
언제든지 사용할 수 있다. 이 일기의 【비밀】에는 PC○의 과거가 적혀 있다. PC○가 이 일기의 【비밀】을 사용하면, PC○의 【비밀】 내용이 이 일기의 【비밀】로 바뀐다.	
이 프라이즈를 획득하면 이 【비밀】을 획득할 수 있다. 정보공유는 발생하지 않는다. 소유자 이외의 다른 캐릭터가 조사판정으로 이 【비밀】을 조사할 수는 없다. 드라마 장면에서 프라이즈를 전달할 수는 있다.	

된 사건을 끄집어낼 수 있습니다.

예컨대「어린 시절, A 씨를 죽였다」라는【비밀】로 괴로워하는 PC가 있다고 합시다.「일기장」의【비밀】에「어린 시절, 친구인 B 군이 A 씨를 죽이는 것을 목격했다」라고 적어두면, 자신이 죽였다고 생각했는데 사실은 진범이 따로 있었다…… 라는 전개를 만들 수 있습니다.

2.04.02 소모성 프라이즈

가지고 있으면 편리하긴 하지만, 너무 많이 쓰면 없어지는 프라이즈입니다. 사용할 때마다 사용횟수에 체크합니다.

「권총」은 좀비나 동물 패닉물처럼 다수의 괴이에게 습격당할 만한 시나리오에 등장시키기에 적합합니다. 총을 입수하기 힘든「사실은 무서운 현대 일본」같은 월드 세팅에서 사용하는 것을 상정했습니다.

「회중전등」은 지하나 한밤중의 숲 같은 곳을 무대로 하는 시나리오에서 사용하는 것을 상정했습니다. 암흑수정에 관해서는「1.02 암흑」을 참조하기 바랍니다(조사판정, 명중판정, 회피판정에 -2의 수정).

Handout	
이름	프라이즈「권총」

개요 사용횟수: ○○○○○○

전투가 벌어졌을 때, 전투가 시작하기 전에 사용할 수 있다. 이 프라이즈의 소유자는 임의의 횟수만큼《사격》으로 판정해서 총을 쏠 수 있다. 이 판정에 1회 성공할 때마다 전투에 참가한 위협도 2 이하의, 속성이「현상」이 아닌 에너미 하나를 선택해서 1점의 대미지를 입힌다. 단, 연사할 때마다 판정에 -1의 수정이 적용된다. 이 권총에는 탄환이 여섯 발 들어있다. 1회 총을 쏠 때마다 탄환이 한 발 감소하며, 모든 탄환이 없어지면 이 프라이즈를 사용할 수 없다.

Handout	
이름	프라이즈「회중전등」

개요 사용횟수: ○○○○○○

언제든지 사용할 수 있다. 사용횟수를 메모하고 암흑수정을 모두 무효로 할 수 있다. 이 효과는 그 장면이 끝나거나 소유자가 어떤 판정에 실패할 때까지 지속된다. 효과의 지속이 끝난 시점에서 소유자는 1D6을 굴린다. 그 수치가 이 프라이즈의 사용횟수 이하라면 전지가 끊긴다. 전지가 끊긴 회중전등은 새로운 전지를 충전할 때까지 사용할 수 없다.

시나리오를 만들 때, 탄환이나 전지를 충전할 수 있는 전개를 준비해둘 수도 있습니다. 또, 그런 전개를 준비하지 않았더라도 플레이어가 조킹을 구사할 때 보충할 수 있다고 할 수 있습니다.

2.04.03 사건 해결에 반드시 필요한 프라이즈

마지막으로 소개할 것은 사건 해결에 반드시 필요한 프라이즈입니다.

「차 키」는 괴이가 도사리고 있는 마을이나 캠프장 같은 곳을 탈출하는 시나리오에서 사용할 수 있는 프라이즈입니다. 「차 키」를 어디에 숨기는 지가 중요합니다. 주위를 배회하는 좀비 등의 에너미가 가지고 있다고 해도 재미있을 것입니다.

「식량」은 표류한 무인도에서 겪게 되는 모험이나 장기적인 서바이벌 시나리오에서 사용하기에 좋은 프라이즈입니다. 게임 마스터는 「식량」이 없는 PC에게 뭔가 대신할 것이 있을지도 모른다고 제안할 수도 있습니다. 만약 이때 PC가 무언가 끔찍한 것을 먹으면 게임 마스터는 공포판정을 요구할 수 있습니다.

Handout	
이름	프라이즈 「차 키」
개요	
이 열쇠에 대응하는 차가 있는 장소에서 사용할 수 있다. 단, 그 장소에서 전투가 발생하면 전투를 모두 해결한 후에만 사용할 수 있다. 그 장소에서 도망칠 수 있다. 이 열쇠의 소유자는 차의 목적지와 누구를 태우고 누구를 태우지 않을지를 결정할 수 있다.	

Handout	
이름	프라이즈 「식량」
개요	
각 사이클이 끝날 때 사용할 수 있다. 이 프라이즈를 사용하면 【생명력】이 1점 회복하고, 이 프라이즈는 사라진다. 각 사이클이 끝날 때 이 프라이즈를 사용하지 못한 캐릭터는 【생명력】과 【이성치】가 2점 감소하며, 다음에 「식량」을 사용할 때까지 모든 판정에 -1의 수정을 적용한다(「식량」을 두 번 연속으로 사용하지 못한 경우, 수정은 누적된다).	

2.05 추가 에너미

아래에 추가 에너미를 소개합니다. 게임 마스터는 이 에너미들을 등장시켜 봉마인을 직접 괴롭힐 수 있습니다. 또, 게임 마스터가 시나리오의 테마를 만들 때, 좋은 아이디어가 떠오르지 않는다면 에너미 리스트를 보고 뭔가 아이디어를 얻을 수도 있습니다.

「부유령」, 「모스맨」, 「유령 자동차」, 「구불구불」은 「사실은 무서운 현대 일본」 전용 에너미입니다.

「뱀 인간」, 「발광체」, 「사냥개」, 「옥좌에 앉은 광기의 신」은 「광란의 20년대」 전용 에너미입니다.

「심령기계」, 「뇌 괴물」, 「목 없는 기사」, 「악마」는 「빅토리아의 어둠」 전용 에너미입니다.

그 밖의 에너미는 어느 월드 세팅에서든 사용할 수 있는 에너미입니다.

2.05.01 조우표

이 선택 규칙은 무작위로 마주칠 에너미를 결정하기 위한 것입니다. 게임 마스터는 메인 페이즈에서 PC와 에너미를 만나게 하고 싶을 때 이 표를 사용할 수 있습니다. 1D6을 굴려서 무작위로 만날 에너미의 종류와 수를 결정할 수 있습니다.

「조우표」에는 도시, 산림, 해변의 세 종류가 있습니다. 게임 마스터는 상황에 맞춰 사용할 표를 정합니다.

조우표 – 도시	
1	실패작×3 기본p250
2	노려보는 자×1 p184 개×1 기본p247
3	신봉자×2 기본p247
4	얼굴을 가린 여자×1 p186
5	유령 자동차×1 p187
6	원령×1 기본p249

조우표 - 산림	
1	달걀귀신×3 p184
2	독충 떼×2 p185
3	곰×1 p185
4	거대곤충×1 p186
5	늑대인간×1 기본p272
6	구불구불×1 p187

조우표 – 해변	
1	인혼×3 p184
2	심해의 주민×2 기본p267
3	별을 건너는 자×1 기본p267
4	우주인×1 기본p262
5	마녀×1 기본p249
6	기어 다니는 것×1 기본p267

노려보는 자

| 위험도 1 | 속성 생물 | 생명력 3 |

호기심 정서　　**특기** 《협박》,《연심》,《원한》

어빌리티 【기본공격】 공격 《원한》
　【따라다니기】 서포트 《협박》 전투 중에 이 에너미가 버팅에 말려들었을 때 사용할 수 있다. 이 에너미와 버팅을 한 캐릭터 1명을 목표로 한다. 목표는 《협박》특기로 공포판정을 해야 한다.

해설 지나가는 사람을 노려보는 이상한 사람입니다. 한 사람을 편집적으로 쫓아다니는 스토커, 나이프를 들고 중얼거리며 어슬렁거리는 사람 등등 가능하면 만나고 싶지 않은 사람들입니다.

인혼

| 위험도 1 | 속성 괴이 | 생명력 3 |

호기심 괴이　　**특기** 《소각》,《원한》,《영혼》

어빌리티 【기본공격】 공격 《영혼》
　【원통하도다!】 서포트 《원한》 이 에너미의 【생명력】이 0이 되었을 때 사용할 수 있다. 이 에너미의 【생명력】을 감소한 캐릭터 1명을 목표로 한다. 목표는 《원한》특기로 공포판정을 해야 한다.

해설 사람의 몸에서 빠져나온 혼입니다. 놔두면 사라질 정도로 약한 혼이지만, 다른 괴이에 이끌려 이 세상에 잔존할 때도 있습니다.

달걀귀신

| 위험도 1 | 속성 괴이 | 생명력 3 |

호기심 지각　　**특기** 《협박》,《놀람》,《풍경》

어빌리티 【기본공격】 공격 《놀람》
　【이런 얼굴?】 서포트 　캐릭터가 조사판정 또는 감정판정에 실패했을 때 사용할 수 있다. 그 캐릭터를 목표로 한다. 목표는 《풍경》으로 공포판정을 해야 한다.

해설 얼굴을 감추고 기다리다가 다가온 사람에게 눈, 코, 입, 귀가 없는 얼굴을 갑자기 보여줘서 놀래는 괴물입니다. 그 정체는 사람으로 둔갑한 오소리나 여우라고 합니다.

유인원

| 위험도 2 | 속성 생물 | 생명력 7 |

호기심 폭력　　**특기** 《구타》,《제육감》,《인류학》

어빌리티 【기본공격】 공격 《인류학》
　【살육연쇄】 공격 《구타》 이식p214

해설 고릴라나 오랑우탄으로 대표되는 동물입니다. 신체 능력은 인간보다 훨씬 뛰어나고, 지성도 높습니다. 밀실 살인을 벌이거나 샤워실에서 소녀를 덮치려고 시도한 적도 있습니다.

춤추는 머리
위협도 2 　 **속성** 괴이 　 **생명력** 6

호기심 지각 　 **특기** 《맛》,《풍경》,《마술》

어빌리티 【기본공격】 공격 《마술》
【정찰】 서포트 《풍경》 플롯을 할 때 사용할 수 있다. 캐릭터 1명을 목표로 선택한다. 목표는 《풍경》으로 판정을 해야 한다. 이 판정이 실패하면 목표의 플롯치를 알아낼 수 있다.

해설 비두만이나 로쿠로쿠비처럼 하늘을 나는 머리의 형상을 한 괴이들입니다. 매일 밤 머리만으로 날아다니며 정보를 모읍니다. 자는 사이에 자신의 머리가 괴이가 되어 날아다니는 것을 자각하지 못하는 사람도 있습니다.

곰
위협도 3 　 **속성** 생물 　 **생명력** 10

호기심 폭력 　 **특기** 《구타》,《노여움》,《냄새》

어빌리티 【기본공격】 공격 《노여움》
【살육연쇄】 공격 《구타》 이식p214
【피 냄새】 서포트 이 에너미가 1점이라도 대미지를 입혔을 때 사용한다. 대미지를 입은 캐릭터 1명을 목표로 한다. 목표의 【거처】를 획득한다.

해설 회색곰이나 불곰 등 산에 사는 중형 짐승입니다. 보통은 산에서 생활하지만, 인간의 맛을 알아버린 곰은 적극적으로 사람을 쫓으며 희생자를 만듭니다.

독충 떼
위협도 2 　 **속성** 생물 　 **생명력** 6

호기심 지각 　 **특기** 《전쟁》,《추적》,《효율》

어빌리티 【기본공격】 공격 《전쟁》
【맹독】 서포트 《효율》 이 캐릭터가 목표에게 1점이라도 대미지를 입혔을 때 사용할 수 있다. 《효율》 판정을 한다. 성공하면 목표는 그 장면 동안 라운드가 끝날 때마다 1점의 대미지를 입는다(같은 대상에게 여러 번 사용해도 라운드가 끝날 때 입는 대미지는 누적되지 않는다).

해설 뱀이나 거미, 전갈 등 독을 가진 작은 동물들의 무리입니다. 누군가가 악의를 품고 불러들이는 경우가 있습니다. 그들의 독은 치명적인 대미지를 입힐 수도 있습니다.

설인
위협도 4 　 **속성** 생물/괴이 　 **생명력** 13

호기심 폭력 　 **특기** 《구타》,《슬픔》,《맛》,《추적》

어빌리티 【기본공격】 공격 《슬픔》
【강타】 공격 《구타》 기본p180
【물건수집】 서포트 《추적》 이 에너미가 1점이라도 대미지를 입혔을 때 사용할 수 있다. 대미지를 입은 캐릭터 1명을 목표로 한다. 목표는 《추적》으로 판정을 한다. 이 판정에 실패하면 목표는 가지고 있는 아이템 1개를 이 에너미에게 넘겨야 한다.

해설 예티나 서스쿼치 등 설산에 숨어 사는 털북숭이 거인입니다. 지성을 가지고 있지만, 사회적인 생활을 하지는 않습니다. 인간의 주거지를 어지럽히고 물건을 가져갈 때도 있습니다.

얼굴을 가린 여자

| 위험도 4 | 속성 괴이 | 생명력 12 |

호기심 정서 **특기** 《협박》,《연심》,《부끄러움》,《원한》

어빌리티 **【기본공격】 공격** 《원한》
【유혹】 서포트 《연심》 기본p181
【살육연쇄】 공격 《구타》 이식p214
【나 예뻐?】 서포트 《부끄러움》 지원행동. 드라마 장면에서도 사용할 수 있다. 캐릭터 1명을 목표로 선택한다. 목표는 《부끄러움》으로 판정을 한다. 이 판정이 실패하면 목표에게 1점의 대미지를 입힌다. 이 에너미가 목표에 대해 플러스【감정】을 가지고 있다면 목표에게 입히는 대미지가 3점으로 변경된다.

해설 긴 머리카락이나 모자, 마스크 같은 것으로 얼굴을 가린 여성의 모습을 한 괴이입니다. 이상하게 키가 크거나 입이 찢어져 있는 등 외견이 특징적입니다. 마음에 든 인간을 계속 따라다니는 습성이 있습니다.

거대 곤충

| 위험도 4 | 속성 생물 | 생명력 12 |

호기심 지각 **특기** 《찌르기》,《소리》,《약품》,《함정》

어빌리티 **【기본공격】 공격** 《찌르기》
【독침】 공격 《약품》 p155
【기다리기】 서포트 지원행동. 드라마 장면에서 사용할 수 있다. 캐릭터 1명을 목표로 선택한다. 목표에 대해 다른 캐릭터가 새로 플러스【감정】을 획득했을 때, 그 캐릭터에게 전투를 걸 수 있다.

해설 거대한 거미나 개미 등 자연계에 있을 리가 없는 크기의 곤충입니다. 무언가의 영향으로 인해 태어난 것으로 보이는 이 곤충들은 거점이나 사람을 지키는 경우가 있습니다.

살아있는 마도서

| 위험도 5 | 속성 괴이/기물 | 생명력 15 |

호기심 지식 **특기** 《미디어》,《생물학》,《민속학》,《마술》

어빌리티 **【기본공격】 공격** 《마술》
【마도서】 장비 p158
【오파츠】 장비 이식p217

해설 의지를 지닌 마도서입니다. 기본적으로 쓰여 있는 대로 움직이지만, 사악한 내용이 기술된 마도서는 그 내용에 따라 처참한 사건을 일으키기도 합니다.

지옥의 형리

| 위험도 7 | 속성 괴이/현상 | 생명력 45 |

호기심 폭력 **특기** 《협박》,《매장》,《부끄러움》,《분해》,《죽음》

어빌리티 **【기본공격】 공격** 《부끄러움》
【스카 페이스】 서포트 《협박》 p160
【해체】 공격 《분해》 이식p214
【처형】 장비 이 에너미의 공격에 대한 회피판정의 펌블치는 목표의 현재화한【광기】수만큼 증가한다.

해설 자신을 벌하고 싶다는 마음이 구현된 것입니다. 죄책감을 품은 인간과 그 동료를 노리며, 죽음을 통해 죄의식에서 해방시키려 합니다. 형리와 싸우려면 자신의 죄책감과 맞서야 합니다.

부유령

	위협도 2	속성 괴이	생명력 6

호기심 정서 　　**특기** 《노여움》, 《슬픔》, 《영혼》

어빌리티 【기본공격】 공격 《슬픔》
　　【빙의】 서포트 《웃음》　지원행동. 목표를 1명 선택한다. 목표는 《웃음》으로 판정해야 한다. 이 판정이 실패하면, 목표는 이 에너미에게 빙의당한다. 빙의한 에너미가 대미지를 입으면 1D6을 굴린다. 홀수라면 빙의당한 목표가 그 대미지를 입는다. 이 효과는 빙의한 에너미가 대미지를 입을 때까지 지속된다.

해설 공중에 떠서 여기저기 방황하는 죽은 자의 혼입니다. 개중에는 자신이 죽었다는 것을 모르는 채로 이곳저곳을 날아다니는 영도 있습니다.

모스맨

	위협도 4	속성 생물/괴이	생명력 12

호기심 괴이 　　**특기** 《추적》, 《제육감》, 《시간》, 《우주》

어빌리티 【기본공격】 공격 《우주》
　　【위험감지】 서포트 《추적》　기본p181
　　【흉조】 서포트 《제육감》　지원행동. 드라마 장면에서도 사용할 수 있다. 목표를 1명 선택한다. 목표는 다음 장면이 시작할 때 《제육감》으로 공포판정을 해야 한다.

해설 나방과 인간을 섞은 모습을 한 UMA(미확인 동물)의 일종입니다. 재앙이 일어나기 전에 나타나는 습성이 있으므로, 그 모습을 봤다면 경계를 해야만 합니다.

유령 자동차

	위협도 5	속성 괴이/기물	생명력 16

호기심 기술 　　**특기** 《파괴》, 《연심》, 《노여움》, 《탈것》

어빌리티 【기본공격】 공격 《파괴》
　　【유혹】 서포트 《연심》　기본p181
　　【자동차의 질투】 공격 《노여움》　이 캐릭터가 플러스 【감정】을 가진 캐릭터 1명을 선택한다. 선택한 캐릭터가 플러스 【감정】을 가진 캐릭터 전원을 목표로 명중판정을 한다. 명중판정에 성공하면 목표는 각자 회피판정을 한다. 회피판정에 실패한 목표에게 1D6점의 대미지를 입힌다.

해설 자신의 의지로 움직일 수 있게 된 괴이 자동차입니다. 사람을 쫓아다니며 치어 죽입니다. 곤란하게도 인간을 사랑하여, 질투한 나머지 사람들을 몰살할 때도 있습니다.

구불구불

	위협도 6	속성 괴이	생명력 25

호기심 괴이 　　**특기** 《놀람》, 《풍경》, 《민속학》, 《혼돈》, 《꿈》

어빌리티 【기본공격】 공격 《풍경》
　　【광기감염】 서포트 가변　이식p216
　　【공포 이야기꾼】 서포트 《놀람》　이식p216
　　【구불구불】 장비　이 에너미의 【거처】를 가진 캐릭터는 자신이 장면 플레이어인 장면이 끝날 때 《혼돈》으로 공포판정을 해야 한다.

해설 최근 목격된다는 괴이입니다. 상식적으로 불가능한 몸동작으로 하얀 몸을 구불구불 꺾어대는 괴이인데, 이 기괴한 존재를 보게 되면 광기에 좀먹힙니다.

뱀 인간

| | 위협도 3 | 속성 괴이 | 생명력 9 |

호기심 지식　　**특기** 《그늘》, 《생물학》, 《마술》

어빌리티 **【기본공격】 공격** 《마술》
　　【생명 창조】 서포트 《생물학》　지원행동. 전투에서 사용할 수 있다. 《생물학》판정을 한다. 판정에 성공하면 「실패작」(기본p250) 하나를 다음 라운드 동안 등장시킬 수 있다. 속도는 1D6을 굴려서 무작위로 결정한다(버팅은 발생하지 않는다).

해설　태곳적에 번영한, 마술과 연금술에 정통한 종족입니다. 모든 뱀을 다스리는 사신(蛇神)의 사도로서 활동하고 있습니다. 자신의 영역을 지키기 위해 인간에게 경고를 하기도 합니다.

발광체

| | 위협도 6 | 속성 괴이/현상 | 생명력 25 |

호기심 지각　　**특기** 《매장》, 《냄새》, 《생물학》, 《우주》

어빌리티 **【기본공격】 공격** 《우주》
　　【장갑】 장비　기본p183
　　【파워 스폿】 장비　이식p217
　　【생명 흡수】 공격 《생물학》　생물 에너미 또는 PC 전원을 목표로 선택해서 명중판정을 한다. 명중판정이 성공하면 목표는 각자 회피판정을 한다. 회피판정에 실패한 목표에게 1D6-1점의 대미지를 입히고, 대미지를 입힌 캐릭터의 수×2점만큼 이 에너미의 【생명력】이 회복한다.

해설　정해진 형태가 없고, 지구에 없는 색의 빛을 내는 불가사의한 생물입니다. 다양한 천체에서 날아와서 자손을 남기기 위해 원주민의 생명력을 흡수하려 합니다.

사냥개

| | 위협도 7 | 속성 괴이 | 생명력 46 |

호기심 지각　　**특기** 《찌르기》, 《추적》, 《함정》, 《수학》, 《시간》

어빌리티 **【기본공격】 공격** 《찌르기》
　　【전격작전】 서포트 《함정》　기본p182
　　【간격】 서포트 《추적》　p156
　　【모서리에서 실체화】 서포트 《수학》　전투에서 라운드가 끝날 때, 누군가가 자발적으로 탈락을 선언했고 이 에너미가 방해를 선언했을 때 사용할 수 있다. 그 도주판정에 사용하는 특기는 《수학》이 되며, 도주판정에 -3의 수정이 적용된다.

해설　말라 비틀어진, 가늘고 긴 몸의 개처럼 생긴 괴이입니다. 어느 정도의 각도가 존재한다면 시간이나 공간과 관계없이 출현하며, 일단 표적을 정하면 어느 한쪽이 죽을 때까지 집요하게 쫓아다닙니다.

옥좌에 앉은 광기의 신

| | 위협도 10 | 속성 괴이/신 | 생명력 165 |

호기심 괴이　　**특기** 《파괴》, 《분해》, 《정리》, 《혼돈》, 《죽음》, 《암흑》, 《우주》

어빌리티 **【기본공격】 공격** 《혼돈》
　　【고귀한 신분】 장비　p161
　　【광기의 목소리】 장비 《암흑》　이 에너미를 목표로 조사판정을 하면 《암흑》특기로 공포판정을 해야 한다.
　　【열선】 공격 《죽음》　이 에너미 이외의 캐릭터 전원을 목표로 명중판정을 한다. 목표는 각자 회피판정을 한다. 회피판정에 실패한 목표에게 2D6점의 대미지를 입힌다.

해설　우주의 구현, 혼돈의 핵으로서 천지창조 때부터 존재한 위대한 신입니다. 하지만 본인은 지성이 없으며, 자신의 옥좌를 떠나지 못합니다. 그래서 항상 굶주리고 목말라합니다.

심령기계

	위험도 3	속성 괴이/기물	생명력 9

호기심 기술　　　특기 《전자기기》,《화학》,《영혼》

어빌리티 【기본공격】　공격　《화학》
　　　　　【트릭】　공격　《전자기기》　기본p180

해설　매드 사이언티스트가 만든 골치 아픈 발명품입니다. 광기에 물든 과학의 힘으로 이계와 연결되어서 다양한 괴현상을 일으키며, 때로는 괴이를 불러들입니다.

뇌 괴물

	위험도 4	속성 생물/괴이	생명력 12

호기심 기술　　　특기 《포박》,《분해》,《기계》,《우주》

어빌리티 【기본공격】　공격　《소각》
　　　　　【해체】　공격　《분해》　이식 p214
　　　　　【염동】　공격　《포박》　이식 p214

해설　노출된 거대한 뇌 같은 형태의 우주 생물입니다. 높은 지능과 세뇌능력을 지니고 있으며, 전 우주에 존재하는 모든 정보를 입수하는 것이 목적입니다.

목 없는 기사

	위험도 6	속성 괴이	생명력 26

호기심 지각　　　특기 《절단》,《추적》,《탈것》,《죽음》,《마술》

어빌리티 【기본공격】　공격　《죽음》
　　　　　【강타】　공격　《절단》　기본p180
　　　　　【간격】　서포트　《추적》　p156
　　　　　【계약의 표식】　장비　이 에너미는 자신이 플러스 【감정】을 가진 캐릭터를 공격 목표로 삼을 수 없다. 이 에너미가 마이너스 【감정】을 가진 캐릭터를 목표로 하는 공격의 대미지는 1D6점 증가한다.

해설　소위 말하는 듀라한입니다. 목을 찾아서 말을 타고 다니며 사람들의 목을 날려버리는 기사입니다. 기사답게 계약은 성실하게 따른다고 하지만, 괴이이므로 믿을 수는 없습니다.

악마

	위험도 10	속성 괴이/신	생명력 165

호기심 정서　　　특기 《포박》,《기쁨》,《웃음》,《관능》,《예술》,《함정》,《꿈》

어빌리티 【기본공격】　공격　《웃음》
　　　　　【염동】　공격　《포박》　이식p214
　　　　　【성흔】　장비　이식p217
　　　　　【종복】　장비　자신의 몹이 모두 자신에 대해 「애정」의 【감정】을 가지고 있는 것으로 본다.
　　　　　【부정한 계약】　서포트　지원행동. 드라마 장면에서도 사용할 수 있다. 목표를 1명 선택한다. 목표는 이 세션에서 한 번만 【소환】(기본p180) 또는 【탄원】(기본p182) 어빌리티를 사용할 수 있다. 단, 이 어빌리티로 감소하는 【이성치】는 2점이다.

해설　달콤한 말로 교묘하게 사람의 마음에 파고들어 소원을 이뤄준다는 계약을 맺는 괴이입니다. 물론 악마가 솔직하게 소원을 들어주는 일은 없으며, 소원은 사악한 형태로 실현됩니다.

③ 무대 가이드: 아기타시

바다와 산으로 둘러싸인 지방 도시, 아기타시(齶田市). 지극히 평범한 도시로 보이는 이곳에서 무시무시한 무언가가 눈을 뜬다. 이성과 광기의 경계가 바로 지금 …… 허물어진다.

아기타시는 『멀티장르 호러RPG 인세인』에서 사용할 수 있는 배경설정입니다. 가이드에는 낮과 밤, 두 장의 지도가 게재되어 있습니다. 낮에는 안전한 장소도 밤에는 무서운 본성을 드러낼 수 있습니다. 밤낮을 비교하면서 자유롭게 상상의 나래를 펼치며 시나리오나 캐릭터 설정에 반영하기 바랍니다.

개요

동해와 접한 토호쿠 지방의 지방도시.

8세기 무렵부터 교통의 요충지로서 번영하여 지금도 토리우미강(鳥海川) 남쪽을 중심으로 도시가 펼쳐져 있다. 강 북쪽의 야쿠시산(藥師山) 지구에는 강과 구릉 사이로 구불구불 꺾인 길이 교차하는 옛 거리가 있다.

북쪽과 동쪽은 산으로 둘러싸였고, 산기슭은 온통 논이다. 산지에는 고원이나 너도밤나무 숲, 스키장이나 폭포 등이 있고, 바다에서는 해양 스포츠나 바다의 진미를 즐길 수 있다. 지방도시답게 인구는 감소하는 경향을 보이지만, 최근 설립된 아기타 대학 덕분에 조금은 젊은 인구층이 늘고 있다.

역사상 여러 번에 걸쳐 전장이 된 적이 있었다. 야마토 조정이 에조를 정벌할 때는 토리우미 강 하구에 침략을 위한 전선 거점이 세워졌다. 19세기 무진 전쟁 때는 오우에츠 열번 동맹(奧羽越列藩同盟)과 막부군이 벌인 치열한 싸움의 무대가 되어 이곳 일대가 초토화되었다. 태평양 전쟁 말기에는 미군의 공습이 북방의 공업지대를 덮쳤다.

아기타 시

>국가: 일본
>지방: 토호쿠 지방, 동해안
>면적: 1209㎢
>인구: 82,308명 (2013년 추계)
>인구밀도: 68.1명/㎢
>시목(市木): 느티나무
>시화(市花): 벚꽃

아기타 시 맵 (낮)

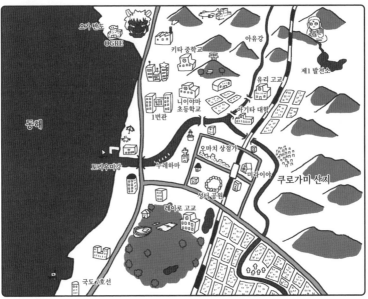

중심가

아기타의 도시기능 대부분이 여기에 있습니다. 시청사, 경찰서, 소방서, 시립도서관, 홈센터, 지역에서 가장 큰 조합병원(組合病院). 아기타 역전과 연결된 오마치 상점가는 여기저기 문을 닫은 점포의 셔터가 눈에 띄긴 하지만, 학생 취향의 가게나 B급 미식 개발 같은 새로운 시도도 엿볼 수 있습니다. 역 뒤쪽에 있는 코믹숍 미라이야(未來屋)는 지방에서는 보기 드문 오타쿠 문화의 거점이며, 만화나 애니메이션, 게임을 윤택하게 공급하고 있습니다. 상점가에 있는 오래된 서점인 북요당(北曜堂)과 나란히 아기타의 문화를 책임지는 곳입니다.

에도시대에는 죠카마치(에도시대에 성의 주위에서 발달한 도시)였지만, 지금은 성터에 세워진 공원 안 돌담에 그 흔적이 남아있을 뿐입니다.

역은 크지 않으며, JR 우에츠 본선과 고원철도가 들어옵니다.

현립 아기타 대학

21세기가 되면서 설립된 종합대학입니다. 입학 정원은 400명의 소규모 대학이지만, 다른 곳에서는 배울 수 없는 커리큘럼이나 강사진에 이끌려 다른 현에서도 열성적인 학생이 모입니다.

정보과학이나 로봇공학을 배울 수 있는 시스템 과학 기술학부, 최신 생물학과 농업연구를 배울 수 있는 생물자원 과학부가 인기입니다만, 그 밖에도 인간 인지 심리학부, 미술 디자인학부, 초역(超域)문화학부 등이 준비되어 있어서 다양한 분야를 공부할 수 있습니다.

학생들의 고민은 여하튼 놀 만한 곳이 없다는 점, 차가 없으면 어디에도 갈 수 없다는 점입니다. 주변에 있는 것은 밭과 양로원, 쓰레기 소각장 정도입니다. 학업에 집중하려는 학생들도 하다못해 제대로 된 서점 정도는 있었으면 하고 아쉬워합니다.

국도 7호선

지방에서는 철도보다 차를 애용하므로 역 앞은 한산하지만, 중심도로 주위가 발달하는 경향이 있습니다. 아기타도 예외는 아닙니다. 해변을 따라 뻗은 국도 7호선의 도로변에는 중고차 판매점, 주유소, 자동차용품점, 파칭코장, 라면 가게, 비디오 대여점 등의 로드사이드 문화가 꽃을 피우고 있습니다.

모텔도 많긴 하지만, 도심과는 달리 젊은이들의 (문자 그대로의) 놀이터로 쓰입니다. 노래방, 게임기, 영화 관람 시설이 있는 모텔은 지방에서 보기 드문 「젊은이들이 모여서 떠드는 장소」입니다. TRPG도 할 수 있습니다. 교외형의 대형 쇼핑몰도 많고, 특히 「빅타운 1번관」은 미국급의 규모와 충실한 레저시설로 인기가 좋습니다.

초중고교

니이야마 초등학교(新山小學校)와 키타 중학교(北中學校)는 야쿠시 산을 조금 올라가면 나오는 위치에 있습니다. 야쿠시 산 자체는 해발 300m 정도의 작은 산으로, 학교 뒷산이라는 말이 딱 어울리는 분위기입니다. 산 정상에는 공원과 신사가 있고, 길을 헤맬 걱정은 거의 없습니다. 단, 키타 중학교 근처에는 곰이 나올 때가 있어서 방심은 금물입니다.

유리 고교(由利高校)는 현립 여학교로, 보통과와 이수과 외에도(보통과, 이수과는 일본 고등학교의 학과 구분) 국제과가 있는 것이 특징입니다. 다양한 외국어 과정이 준비되어 있으며, 교환 유학생도 다닙니다.

진학교(進学校)인 레이로 고교(玲瓏高校)는 카라스 숲(烏森)과 늪 사이의 약간 높은 언덕 위에 있습니다. 우문상무(友文尙武)를 내걸어 진학교이면서도 경식 야구부, 유도부, 보트부, 요트부, 산악부, 궁도부 등 다양한 클럽 활동에서 강호로 유명합니다.

토리우미 강 (鳥海川)

토리우미 강을 이용하는 거룻배 운송은 에도 시대~메이지 시대의 주된 물자수송 수단이었습니다. 상류의 목재나 광석이 하구의 항구에서 수송선을 통해 에조지(蝦夷地), 호쿠리쿠(北陸), 산인(山陰)으로 옮겨졌습니다. 육상교통이 발달한 뒤로 거룻배 운송은 완전히 자취를 감췄지만, 하류의 누레하마 지구에서는 가느다란 목제 구름다리에서 민물고기를 잡기 위한 작은 거룻배가 꼬리를 물고 떠 있는 풍경을 볼 수 있습니다. 또, 레이로 고교는 전통적으로 보트 경기를 장려하고 있으며, 보트부의 부원들이 타는 버들잎형 보트가 매일같이 강 위를 왕래합니다.

북쪽에서 토리우미 강으로 흘러드는 아유 강(鮎川) 상류에는 아유 강 제1 발전소의 댐이 있으며, 수력발전이 이루어지고 있습니다.

아유 강과의 합류 지점에서 계속 토리우미 강을 거슬러 올라가면 마가리사와(曲澤) 마을을 중심으로 논 지대가 펼쳐져 있습니다.

바닷가

아기타시에서 해안을 따라 북쪽으로 가면 나오는 오가(奥牙)반도에는 「오거(OGRE)」라는 애칭으로 알려진 오가 수족관이 있습니다.

아기타와는 별 관계가 없는 북극곰이나 피라루쿠 같은 종도 두루 전시해서 인기가 좋습니다.

아기타 마리나에는 해수욕장과 요트 선착장이 있어서 여름에는 왁자지껄합니다. 단, 오봉(우리나라의 추석에 해당하는 일본의 명절)이 지나면 대량의 해파리가 출현해서 수영을 못 하게 됩니다.

아카하마 어항(赤浜漁港) 근처에 있는 극지 탐험 기념관은 메이지 시대에 일본인 최초로 북극과 남극을 탐험한 이 지역 출신의 탐험가 시라세 치코 중위의 위업을 기리며 지은 곳입니다.

쿠로가미 산지(黑神山地)

아기타시의 북쪽과 동쪽을 둘러싼 산들이 바로 쿠로가미 산지입니다. 높이로 따지면 가장 높은 쿠로가미산조차 590m로 낮은 편이어서 쿠로가미 구릉이라고도 불리지만, 원생림으로 뒤덮인 산이 이어져 당당한 산세를 형성하고 있습니다.

목재 생산용 인공림, 전파송신소 등의 실용적인 시설 외에도 스키장, 온천, 고원철도의 역, 산책로가 있는 습원, 삼림공원, 폭포, 계류낚시를 할 수 있는 강, 캠프장 등등 다양한 레저시설이 여기저기 있습니다. 하지만 충분한 준비 없이 길을 벗어나 산으로 들어가는 것은 상당히 위험합니다. 곰 같은 야생동물도 출몰합니다.

유적

이 지역에는 꽤 오래전부터 사람이 정착했는지 주로 강 주위에서 죠몬 시대의 집터나 조개껍데기 무덤이 출토됩니다. 또, 성터 공원에는 거대한 너럭바위로 된 돌 무대가 있습니다. 어디의 바위인지는 알 수 없지만, 강을 이용해서 먼 곳에서 운반해온 것으로 추측됩니다.

또, 최근에 아기타 대학 근처의 구릉 지대에서 고분 시대의 금속 가공 시설 터가 발견되어, 제작되다 만 동검(銅劍)이나 동탁(銅鐸)이 다수 발굴되었습니다.

아기타 시 맵 (밤)

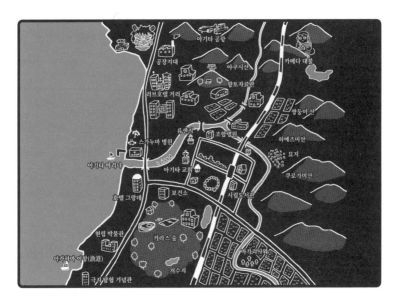

쿠로가미 산지의 괴이한 빛

쿠로가미 산지의 상공에서는 종종 기묘한 발광현상이 목격됩니다. 밤 하늘에 수많은 빛을 점등한 비행선 같은 물체가 떠 있었다느니, 불규칙한 비행을 하는 광점(光点)이 산꼭대기에서 내려왔다느니, 그리스의 조각상 같은 얼굴이 새겨진 원기둥 모양 물체가 회전하면서 태양 속을 이동한다느니…… 등등 이상한 목격 증언이 다수 있습니다. 때때로 다른 곳에서 UFO 연구가가 찾아오지만, 산에서 길을 잃었는지, 혹은 수확이 없었는지 어느새 없어질 때가 잦습니다.

산속을 오가는 자

산속을 오가는 사람은 적지 않습니다. 산속에서 작업해야 할 일로는 임업, 사냥, 측량, 고압 전파탑이나 전파 송신소 점검, 도로 보수공사 등등 여러 가지가 있습니다. 그런 사람들 사이에서 떠도는 소문이 있습니다. 산속에서 작업하던 도중에 너덜너덜한 옷을 입은 아이나 키가 3m는 되는 덩치 큰 여자, 외눈박이 승려 같은 것을 만났다는 것입니다. 식량을 뺏기거나 몇 시간씩 쫓겼다는 이야기도 있습니다. 깊은 산 속에서 나타나는 그들은 야나기타 쿠니오가 말한 '산카', 산인(山人)일까요?

류센지의 산문(山門)

아기타 중심가의 변두리에 조용히 자리 잡은 류센지(龍泉寺)는 칸에이(寬永) 년간(1624~1644년을 뜻하는 일본의 연호)에 건립한 조동종(曹洞宗)의 선사(禪寺)입니다. 2층으로 구성된 중후한 산문이 있으며, 붉은 칠이 벗겨져 가는 인왕상이 눈을 부릅뜨고 있습니다. 류센지는 메이지 시대와 헤이세이 초에 두 번의 전소 규모 화재를 당했지만, 산문만큼은 피해가 없었습니다. 하지만 2012년에 강풍으로 산문 지붕의 기와와 중앙문 등에 심각한 피해가 나왔습니다. 보수공사에는 3년이 걸릴 것으로 보입니다. 또, 산문 내부는 일반에게 공개되어 있지 않습니다.

산악신앙

아기타의 내륙 지대에서는 예부터 산악신앙이 성행했습니다. 거암(巨岩)이나 기암(奇岩), 거목, 폭포, 산이나 강 그 자체가 신성시되었으며, 사당이나 금줄 등으로 모셔져 왔습니다. 산 안쪽에는 꽤 오래된 환상열석(環狀列石) 같은 형태의 유구(遺構)가 있다고 합니다. 그런 신앙은 훗날 신도의 신사가 대체했습니다. 신사의 유래를 조사하면 생각도 못 한 태고의 신앙과 만날지도 모릅니다.

쿠로가미 산지는 수험도의 행자들이 왕래하는 수행장소이기도 했습니다. 산속 마을에는 산악신앙과 얽힌 밀교가 뿌리를 내리고 있고, 집집마다 기둥에는 늑대가 그려진 퇴마의 부적이 붙어 있습니다.

해신신앙

해안 지역에서는 예부터 해신을 믿었습니다. 해상교통의 수호신을 모신 콘비라(金比羅) 신사가 유명하지만, 그보다 더 옛날, 이 땅이 야마토에게 침략당하기 전에는 지금은 잊힌 다른 해신을 믿었습니다. 「아기타호(齶田浦)의 신」이라는 이름만이 전해지는 이 신은 훗날 오오비코(大彦)나 타케미카즈치(武甕槌)와 결합되면서 역사에서 말소되었고, 그저 「고기를 먹는」 신이라는 몇 안 되는 기술만이 남아 있습니다.

눈보라 속의 그림자

겨울의 아기타는 폭설에 고립됩니다. 제설차가 주요 도로를 달리므로 시가지에서는 그리 이동이 곤란하지 않지만, 그래도 차가 없으면 고생합니다. 긴 겨울 동안에는 넓은 논이나 산지도 하얗게 뒤덮이고, 사람이든 짐승이든 숨을 죽입니다. 해가 진 후, 하얀 어둠 속에서 올려다봐야 할 정도로 커다란 그림자가 오로지 눈만을 번뜩이며 걷는 모습이 종종 목격됩니다. 만난 사람은 하늘 저편으로 끌려간다고 합니다.

스가누마 병원의 곤혹

스가누마(菅沼) 병원은 지역에서 가장 큰 내과, 신경과, 정신과 병원입니다. 병원의 스태프는 기묘한 환자가 많아서 곤혹스러워하고 있습니다. 다른 지역과는 달리 이상한 꿈이나 망상에 사로잡혔거나, 산이나 바다에서 기이한 체험을 하고 정신적인 괴로움을 호소하는 환자가 매우 많기 때문입니다. 이런 경향은 옛날에도 다를 것이 없었는지, 2대 전의 원장은 치료의 단서를 찾아 지역의 전승을 제법 조사했습니다. 그가 모은 자료는 향토자료관에 「스가누마 장서」로서 기증되어 있습니다.

극지에서 부르는 소리

극지 탐험 기념관에는 북극과 남극을 모두 탐험한 시라세 치쿄 중위와 관련된 물건들이 전시되어 있습니다. 중위는 상당한 양의 탐험 노트를 남겼지만, 그 모두가 일반에게 공개된 것은 아닙니다. 노트의 내용 중에는 상궤를 벗어난 부분이 포함되어 있다는 소문이 있습니다. 탐험에서 가지고 돌아온 유물 중에는 무슨 짓을 해도 열리지 않는 미지의 금속제 용기가 있다고도 합니다.

근처에서는 극지 탐험 중에 개썰매를 끌었던 카라후토견의 자손을 키우고 있습니다.

쇼핑몰의 날

국도 7호선 근처에 있는 빅타운 1번관은 아키타 최대의 쇼핑몰입니다. 신선식품에 패션, 공구, 전자기기, 게임센터나 볼링장, 영화관……. 하나부터 열까지 모두 갖추고 있습니다. 만약 무슨 일이…… 무슨 일이 벌어져서 세계가 밑바닥부터 뒤집히더라도 이 거대 몰 안에 틀어박히면 살아남을 수 있을 것입니다. 적어도, 한동안은요.

공장지대의 폐허

7호선 북쪽의 공장지대에는 불경기로 폐쇄된 공장 대신 지어진, 도대체 뭘 만들고 있는지 알 수 없는 건물이 늘어나고 있습니다. 안에서 기계의 구동음이 들려오긴 하지만 사람의 기척은 없습니다. 「가동 중인 폐허」라는 표현이 어울리는 장소입니다. 근처에 사는 중국인 노동자들도 기분 나빠하며 「왕닌(妄人)」이니 「구이리(鬼律)」니 하는 말로 그런 심정을 표현하고 있습니다.

카라스 숲(烏森)

레이로 고교 뒤에 펼쳐진 광대한 숲, 카라스 숲은 시가지에 가까운 것치고는 깊고, 어둡고, 습해서 구장이나 육상 경기장이 있는 운동공원을 제외하면 들어가는 사람이 거의 없습니다. 국도를 따라 자리 잡은 삼림관리 사무소의 직원들만이 순찰하는데, 곰이 살만한 산도 아닌데 직원들은 왠지 엽총을 휴대합니다. 삼림 내의 저수지 주위는 출입금지 구역으로 지정되어 있습니다.

낡은 호텔

유령이 나온다는 소문으로 유명한 호텔 그랑데는 증축을 반복하여 미로처럼 변해버린 낡은 호텔입니다. 어떤 유령이 나오는지는 증언에 따라 다릅니다. 하얀 드레스를 입은 미녀, 어두운 얼굴의 남자, 등을 돌리고 웅크려 앉은 전통복 차림의 여자, 궐수도(蕨手刀)를 든 에미시(蝦夷 일본의 관동이북에 살았던 원주민). 고총(古塚) 위에 지어졌다는 이야기도 있는데, 그것이 어떠한 원인일지도 모릅니다.

문을 걸어 잠근 대학 도서관

아기타 대학의 도서관에는 동양 중심의 오컬트 자료가 대량으로 수장되어 있습니다. 일본의 서적은 물론 중국이나 티베트, 중동의 마도서도 다수 포함되어 있고, 마찬가지로 오컬트 장서를 보유한 미국의 미스카토닉 대학과 밀접하게 교류합니다. 도서관에 출입하는 객원 연구원 중에는 외국인이 많아서 독특한 분위기를 풍깁니다. 도서관의 경비는 묘하게 엄중하며, 항상 늑대를 연상케 하는 커다란 경비견이 도서관 앞 중앙정원에 엎드려 있습니다.

아기타의 하늘

아기타의 하늘은 기본적으로 구름이 많고, 맑을 때도 반드시 구름이 떠 있습니다. 구름 한 점 없는 쾌청한 날씨는 1년에 몇 번 있을까 말까입니다. 북쪽 지방의 하늘이란 그런 법입니다. 때때로 카라스 숲 남쪽의 기지에서 날아오르는 자위대의 전투기가 상공을 선회합니다. 아기타의 상공은 긴급 발진이 매우 잦은 모양입니다.

키 큰 여자 및 그 외의 이야기

논으로 둘러싸인 마가리사와 지구에는 시가지에서 잊힌 옛 전승이 아직 전해지고 있습니다. 처음 본 상대를 저주하여 죽이는 키 큰 여자 저주가 담긴 작은 상자, 저택 바닥 아래에 도사리는 사람과 비슷하지만, 사람이 아닌 것까지. 이 지역의 사람이라면 재앙을 피하는 방법을 알고 있겠지만, 시가지에서 온 이들이 우연히 금기를 건드려서 돌이킬 수 없는 사태가 벌어질 때도 있습니다. 대처법은 직접 이 지역 사람에게서 듣지 않으면 알 수 없지만, 이야기하는 것 자체가 불길한 일이므로 재차 재앙이 연쇄할 수도 있습니다.

바다에서 온 것

아카하마(赤浜)에는 바다에서 오는 무언가에 관한 기묘한 전승이 있습니다. 바다에서 올라와서 해안에 우뚝 서는 그것은, 정체를 알면 발광할 정도로 무서운 존재라고 합니다. 비슷한 전승은 산간 지대에도 있지만, 이 두 가지가 같은 것인지는 알 수 없습니다. 이 이야기와의 관계는 불명이지만 아카하마 어항에는 물고기나 바다 생물로 분장하고 미늘창을 짊어진 채 대열을 지어 천천히 행진하는 축제가 있는데, 이것도 행렬이 지나가는 모습을 봐서는 안 된다고 합니다.

마가하기

오가반도를 중심으로 하는 아기타 일대에는 「마가하기」라는 풍습이 있습니다. 지역에 따라 「마가하게」, 「나마핫구」, 「아라바키」라고도 부르는, 오니(鬼) 가면과 도롱이를 걸치고 손도끼를 든 마가하키가 집집이 돌아다니며 「나쁜 아이나 게으름뱅이는 목을 베어서 잡아먹겠다!」라고 겁을 주며 날뛰는 풍습입니다. 원래는 도래신(渡來神)이었다고도, 산신(山神)이었다고도 합니다만 정확한 뿌리는 알 수 없습니다.

댐 밑바닥

아유 강 제1 수력발전소에 있는 댐의 수위가 낮아지면 바닥에 가라앉은 몇 채의 건물이 모습을 드러냅니다. 댐 밑에 가라앉은 마을…… 이라는 흔하다면 흔할 법한 광경이지만, 기묘하게도 거기에 마을이 있었다는 것을 아무도 모릅니다. 건물은 콘크리트제이며, 마을이라기보다는 건물이 불규칙하게 배치된 단지나 학교처럼 보이기도 합니다. 댐을 만들었을 때만 해도 건물 같은 것은 없었습니다. 밤에는 호수 밑바닥에서 창백한 빛이 돌아다닌다고 하며, 지역의 낚시꾼들은 가까이 가려 하지 않습니다.

나이트 뮤지엄

인문 전시실과 자연 전시실이 있는 현립 박물관의 뒤뜰에는 미정리, 미공개 수장품이 보관되어 있습니다. 그런 수장품 중에는 연구자를 곤혹스럽게 하는 기묘한 것이 있다고 합니다. 진화사상 있을 수 없는 해부학적 특징을 지닌 화석이나 연대적으로 맞지 않는 출토품처럼 외부에 내놓을 수 없는 것이 많이 있습니다. 그중에서도 인상적인 것은 「수면즉신불(獸面卽身佛)」입니다. 버려진 절에서 발견된 이 즉신불의 머리는 인간이 아닌 완전한 육식동물의 형상입니다. 그 지방 아이가 처음 발견했을 때, 즉신불의 입가는 채 마르지도 않은 피로 더럽혀져 있었다고 합니다.

④ 반복되는 참극

반복되는 참극이란 이 책에서 새로 추가된 캠페인용 월드 세팅입니다.

이 월드 세팅의 PC들은 다양한 평행세계에서 괴이와의 끝없는 싸움을 되풀이합니다. PC들이 왜 그렇게 괴이와 계속 싸워야 할까요? 그 이유는 정해져 있지 않습니다.

이 월드 세팅은 단독으로는 사용할 수 없습니다. 「사실은 무서운 현대 일본」, 「광란의 20년대」, 「빅토리아의 어둠」 등 각각의 월드 세팅 중 하나 와 조합하여 사용합니다.

4.01 무한한 평행세계

이 캠페인 세팅에는 유사한 평행세계가 무수하게 존재합니다. 게임 마스 터와 플레이어가 참가하는 세션마다 각기 다른 평행세계를 무대로 하는 것으로 간주합니다. 이런 설정을 이용하면 게임 마스터가 선행 세션의 내 용에 구속당하지 않고 시나리오를 만들 수 있습니다. 기존의 세션에서 사 신이 부활하여 PC들이 전멸했더라도, 다른 평행세계에서 문제없이 이어 지는 세션을 플레이할 수 있습니다.

각 평행세계의 설정은 게임 마스터가 마음대로 정할 수 있습니다. 단, 동 일한 캠페인에서는 동일한 무대를 이용하는 것이 좋습니다. 그래야 무대 에 관련된 설명을 생략할 수 있어서 원활하게 세션을 진행할 수 있습니다.

혹시라도 이를 바꾼다면 세세한 부분만 고쳐서 위화감을 연출합니다. 예 컨대 학교가 무대라면 학교에서 유행하는 괴담의 내용, PC가 소속된 클럽 활동, 담임 선생님만을 매번 변경할 수도 있습니다. 또, 이전의 세션과 차 별을 두기 위해 사건에 관계되는 부분만을 변경할 수도 있습니다.

4.02 평행세계의 PC들

각 PC는 이 캠페인 세팅에서 특별한 존재입니다. 어느 평행세계에서도 PC들은 반드시 존재하며, 기본적인 인물상이 변하지 않습니다.

하지만 각 PC의 【비밀】은 평행세계마다 달라질 가능성이 있습니다. 어 떤 평행세계에서는 정의를 사랑하는 탐정이었던 PC가 다른 평행세계에서 는 흉악한 살인마가 되어 있을지도 모릅니다. 게임 마스터는 세션마다 원하는 대로 PC의 【비밀】을 설정하기 바랍니다.

각 PC는 정신뿐인 존재가 되어 세션과 세션 사이에서 세계 간 이동을 합니다. 그러므로 이 세팅에서는 세션에서 사망한 캐릭터라도 다음 세션에서 다시 사용할 수 있습니다. 그리고 다음 평행세계에서 일어나는 괴사건을 해당 평행세계의 PC로서 도전합니다.

이전 세계의 기억이 사건 해결에 도움이 되는 경우도 있을 것입니다. 반대로 그것이 선입관이 되어서 실수를 범할 수도 있습니다. 어쨌거나 반복되는 참극에서 도망칠 수는 없습니다. PC들은 무수한 평행세계에서 영원히 괴이와 싸우게 됩니다.

4.03   세계 이동에 관련된 기억

원칙상 「반복되는 참극」의 PC는 원칙상 자신이 이전에 있던 평행세계에 관한 기억을 잃습니다. 각 PC는 플레이어가 가지고 있는 과거의 모험에 관련된 지식을 「꿈속의 사건」이나 「어딘가에서 읽은 이야기」로 인식합니다. 결코, 현실에서 일어난 사건이라고는 생각하지 않습니다.

세션 중에 그 PC가 알고 있을 리가 없는 이전 세계의 기억을 플레이어가 이용하려고 하면, 그 PC는 「꿈이나 가공의 이야기라고 생각했던 것이 사실은 직접 경험한 일이었던 것은 아닐까?」라며 자신의 기억에 의문을 품게 됩니다. 이것을 현실회의라고 합니다. 현실회의가 발생하면, 게임 마스터는 그 PC에게 공포판정을 하게 합니다. 사용하는 특기는 괴이 분야에서 무작위로 하나 선택합니다.

단, 여기에는 몇 가지 예외가 있습니다. 여기에서는 그 예외에 관해 설명합니다.

4.03.01   【비밀】에 적혀있는 경우

게임 마스터는 특정 평행세계에서 특정한 PC가 평행세계를 이동했음을 자각하고 있다고 정할 수도 있습니다. 그 경우, 해당 PC의 【비밀】에 그가 세계 이동자라는 사실과 그 PC가 기억하고 있는 이전 세계의 기억을 기재합니다.

플레이어가 해당 【비밀】에 적혀 있는 기억을 이용하려고 해도 현실회의가 발생하지 않습니다.

4.03.02 이식(異識)을 습득하고 있는 경우

「반복되는 참극」을 무대로 하는 세션에 참가한 PC는 세션이 끝난 후에
「이식(異識)」이라는 특수한 어빌리티를 습득할 수 있습니다. 이식을 습득
한 PC는 그 어빌리티를 습득한 세션에 관련된 기억을 보존하고 있는 것으
로 간주할 수 있습니다. 플레이어가 그때의 세션에 관한 기억을 이용하려
해도 현실회의는 발생하지 않습니다.

 이식의 습득 방법과 내용은 「4.07 이식」 항목을 참조하기 바랍니다.

4.04 검은 옷의 남자들

 PC들이 평행세계를 여행하는 이유는 불명입니다. 하지만 각 평행세계
에는 평행세계의 존재를 은폐하려는 세력이 있습니다. 그들은 「검은 옷을
입은 남자들」이라고 불립니다. 그들은 상층부에서 명령을 받아 각 평행세
계에서 일어나는 괴사건을 관찰, 기록합니다. 원칙상 괴사건에 직접 개입
하지는 않습니다.

 단, 평행세계의 존재를 알아차린 존재에게는 간섭할 때도 있습니다. PC
들처럼 세계 이동을 반복하는 존재는 언젠가 평행세계의 존재를 알아차리
고 맙니다. 그들은 그런 존재를 봉인하는 역할을 맡고 있습니다. 세계이동
자는 육체가 죽어도 정신뿐인 존재가 되어 다른 평행세계로 이동해 버리
므로 소멸시키는 것은 어렵습니다(단, 불가능하지는 않습니다. 방법은 있
는 모양입니다). 그래서 그들은 세계이동자를 「공포의 고리」라는 가공의
감옥에 가두려고 합니다.

4.05 공포의 고리

 「공포의 고리」란 평행세계의 일종입니다. 그곳에서는 영원히 같은 시간
이 반복됩니다.

 끝나지 않는 여름방학, 아무리 시간이 지나도 시작하지 않는 문화제, 끝
없는 전쟁의 나날······. 「공포의 고리」는 세계이동자를 가두는 시공의 감
옥입니다. 검은 옷의 남자들은 세계이동자를 발견하면 그들을 여기로 유
도해서 유폐합니다. 게임 마스터는 「반복되는 참극」 세팅의 시나리오에서

「공포의 고리」를 플레이의 무대로 삼을 수 있습니다.

어떤「공포의 고리」든 정해진 시간이 되면 왠지 처음으로 돌아가 버립니다. 그러면 그 세계의 주민들은 그때까지의 기억을 잃고 다시 같은 시간을 되풀이합니다. 「공포의 고리」를 무대로 하는 시나리오는 한 사이클마다 시작 시점으로 돌아가는 경우와 세션이 끝날 때 시작 시점으로 돌아가는 경우의 두 종류가 있습니다. 전자의 경우, PC나 일부 NPC는 지난 사이클의 기억을 가지고 있는 것으로 합시다.

「공포의 고리」를 무대로 하는 시나리오를 만들 때, 게임 마스터는 루프에서 탈출하는 방법을 설정해야 합니다. 이것을「탈출 조건」이라고 부릅니다. 각 PC의【비밀】에는 그 탈출 조건에 다가가기 위한【진정한 사명】이나 탈출 조건의 힌트가 되는 정보를 설정해두는 것이 좋습니다. 단, 반드시 PC 전원의【사명】이나【비밀】과 탈출 조건을 연관 지을 필요는 없습니다.

4.06 반복되는 참극의 시나리오 후크

「반복되는 참극」에서는 아래와 같은 시나리오를 플레이할 수 있습니다.

● 뭔가가 숨겨져 있다

이 세상의 이면에서 은밀히 활동하는 조직이 있습니다. 평행세계의 존재를 알아차린 인간과 접촉해서 기억을 지우거나, 유괴해서 체내에 뭔가를 심거나, 말살하는 등 다양한 수단을 통해 평행세계의 존재를 은폐하려는 그들은 검은 옷을 입은 남자들——맨 인 블랙(MIB)이라고 불립니다.

괴사건이나 괴생물이 목격된 현장에 MIB가 나타나서 증거를 인멸하는 일도 있습니다. 증거에는 목격자의 기억이나 목격자 본인의 존재도 포함될 수 있습니다. 실제로 MIB와 접촉 후 증발해버린 봉마인도 많습니다.

추천괴이: 검은 옷을 입은 남자들, 모스맨, 우주인
추천광기:【의심암귀】,【기억상실】,【실종】,【음모론】

● 당신은 누구?

두 개의 평행세계가 교차했을 때, 세계는 그 모순을 받아들이기 위해 중복된 두 명의 동일인물을 개변할 때가 있습니다. 중복된 인물이라도 성별,

연령, 신체적 특징, 성격 등이 다르다면 세계가 파탄 나지 않고 넘어갈 수 있기 때문입니다.

하지만 그 상태가 언제까지 유지될지는 알 수 없습니다. 시간이 지나며 억지로 이어붙인 세계가 갈라져서 마침내 붕괴해 버릴지도 모를 일입니다. 파멸을 막으려면 본래 교차할 일이 없는 평행세계가 왜 서로 접촉했는지를 밝혀내야 합니다. 자연현상인지, 아니면 누군가의 음모인지.

그리고 교차한 평행세계는 정말로 둘뿐일까요? 캐릭터 전원이 어딘가가 조금씩 다른 「자신」이라는 시추에이션도 재미있을 것입니다.

추천괴이: 반전자, 도플갱어, 살인마, 미친 과학자
추천광기: 【왜 나만?】, 【의심암귀】, 【다중인격】

● 시간을 초월한 존재의 그림자

인간의 지식으론 이해할 수 없는 초과학을 다루는 지성체가 시간과 공간의 틈새를 자유자재로 돌아다닙니다. 「위대한 종족」이라는 이 정신기생체는 다양한 시대에서 생물의 정신을 점령하고 그 시대에서 활동하여 더 다양한 지식을 얻으려 합니다.

위대한 종족의 시공조작 테크놀로지는 평행세계에 예측할 수 없는 영향을 미칩니다. 이런 시공 규모의 사건에 아무것도 모르는 인간이 말려드는 일도 종종 일어납니다. 실험에 열정적인 위대한 종족은 인간을 일부러 특수한 평행세계에 풀어놓고 어떤 반응을 보이는지 관찰하기도 합니다.

또, 정신 기생체인 위대한 종족은 인간에게 기생해서 정체를 숨기고 행동할 수 있습니다. 갑자기 성격이 변한 사람은 어쩌면 위대한 종족에게 빙의 당했을지도 모릅니다.

추천괴이: 위대한 종족, 심령기계, 사냥개
추천광기: 【빙의】, 【기억상실】, 【어둠의 축복】, 【다중인격】

● 워 오브 더 월드

수많은 평행세계 중에는 화성에서 온 침략자에게 지구가 멸망하고 인류가 지배당하는 세계도 있습니다. 「정복자」라는 이 이성인들은 더 큰 판도를 추구하여 탐욕스럽게 다른 평행세계로 침략의 손을 뻗고 있습니다.

지구 고유의 특정 병원균이 약점인 그들은 그 균이 존재하지 않는 평행

세계를 발견하면 전쟁 기계 대군을 보내서 제압합니다. 그래서 처음에 화학 장비를 갖춘 선발대를 보내서 병원체의 유무를 조사합니다. 또, 인간을 자신들의 평행세계로 납치해서 심문하여 정보를 얻으려 합니다.

한편, 인간 쪽도 평행세계 사이에서 병원균을 수송하며 정복자를 쓰러뜨리는 레지스탕스 활동을 하고 있습니다. 지구와 화성 간에 시작된 전쟁은 이제 다수의 평행세계를 누비는 대전쟁으로 발전했습니다.

추천괴이: 정복자, 별을 건너는 자, 우주인
추천광기: 【과대망상】, 【적이냐 아군이냐】, 【결벽】, 【만용】

● 이 세계는 한바탕 꿈이거늘, 그저 미쳐갈 뿐

모든 평행세계가 안정된 것은 아닙니다. 수많은 세계 중에는 안정을 이루지 못하고 얼마 못 가서 물거품처럼 사라져버리는 세계도 잔뜩 있습니다. 모든 평행세계는 잠든 무언가가 꾸는 꿈이라고 주장하는 자도 있습니다. 마나 유드 수샤이, 또는 아자토스라는 이름으로 불리는 그것은 우주의 중심에 있는 옥좌에서 지성이 없는 잠에 빠져있다고 합니다. 옥좌에 앉은 광기의 신이 영겁의 잠에서 깨어났을 때, 모든 평행세계가 종말을 맞이한다고도 합니다.

세계가 붕괴하기 시작하면 그것은 옥좌에 앉은 광기의 신이 눈을 뜨고 있기 때문일지도 모릅니다. 모든 평행세계를 구하기 위해서는 신이 다시 깊은 잠에 빠지게 할 수단을 찾아야만 합니다.

추천괴이: 옥좌에 앉은 광기의 신, 신봉자
추천광기: 【우행】, 【허무감】, 【어둠의 축복】, 【광신자】

● 호접몽

생생한 꿈의 세계는 깨어있을 때의 세계와 구별이 되지 않습니다. 잠에서 깼다고 생각했는데 여전히 꿈속이었던 경험은 없습니까? 눈을 떠도 눈을 떠도 계속되는 꿈에 갇히면 인간은 아주 간단히 광기에 빠집니다. 진짜로 잠에서 깨어나기 위해서는 꿈속을 탐색하여 깨어있을 때의 세계로 가는 문을 찾아내야 합니다.

하지만 그건 정말 꿈일까요? 어쩌면 우리가 꿈이라고 부르는 것은 평행세계 그 자체인 건 아닐까요? 그리고 꿈을 꾸고 있는 것은 당신일까요? 아니면 누군가가 당신의 꿈을 꾸고 있는 것일까요?

추천괴이: 심연에 잠든 자, 몽마

추천광기: 【예지몽】, 【우행】, 【폭로】, 【현실도피】

● 진화의 이웃

우리의 세계에서는 어쩌다 보니 인류가 지성을 얻었지만, 모든 평행세계가 그러리라는 필연성은 없습니다. 원숭이가 고도의 지성을 얻어 지구를 지배하고 인류를 지배하는 세계가 있어도 이상하지 않습니다. 인간이 그런 세계에 섞여든다면 붙잡혀서 노예로 부려집니다. 원래의 세계로 돌아가기 위해 수용소를 탈주한 봉마인은 인간보다 강인한 육체의 원숭이들에게 쫓기며 가혹한 서바이벌을 해야만 합니다.

추천괴이: 유인원, 설인

추천광기: 【망향】, 【말을 잃다】, 【피에 대한 갈망】, 【만용】

● 돌아보면 죽는다

죽음의 운명을 피하고자 평행세계로 탈주한 봉마인. 하지만 세계는 순리대로 돌아가려 합니다. 도망쳐도 도망쳐도 쫓아오는 사신의 마수가 세계의 틈새를 넘어 덮쳐옵니다.

자신이 아닌 다른 소중한 사람의 운명을 바꾸기 위해 여러 평행세계를 여행하는 자도 있습니다. 죽음의 운명은 그리 간단하게 바꿀 수 있는 것이 아닙니다. 안식의 땅을 찾아서 셀 수도 없을 정도의 루프를 반복하는 봉마인……. 그 여로에 끝은 있을까요?

추천괴이: 죽음의 운명

추천광기: 【왜 나만?】, 【기시감】, 【미시감】, 【공포증】

● 위화감의 원인

언뜻 보기에는 원래의 세계와 아무것도 다를 것이 없는 평행세계. 하지만 잘 관찰해보면 어딘가 한 군데, 결정적으로 다른 부분이 있다……. 그런 상황에서 인간은 제정신을 유지할 수 있을까요?

이를테면, 생명의 무게가 달라서 허가를 받으면 사람을 죽여도 되는 세계. 식욕과 성욕의 의미가 역전해서 남들의 앞에서 음식을 먹는 것이 외

설적으로 받아들여지는 세계. 낮에 자고 밤에 활동하는 것이 당연한 세계. 하늘이 푸르지 않고 붉은 세계. 단 하나, 뭔가가 바뀌는 것만으로도 받아들이기 힘든 위화감이 생깁니다. 봉마인이 보기에는 광기인 것도 평행세계의 주민들에게는 당연한 개념일지도 모릅니다. 원래 세계로 돌아왔더라도 불안을 떨칠 수는 없습니다. 언뜻 보기에는 원래의 세계에 돌아온 것처럼 보여도, 어쩌면 또 다른 평행세계로 이동했을 뿐일지도 모르기 때문입니다.

추천괴이: 악마의 속삭임, 노려보는 자

추천광기: 【짜증】, 【기묘한 욕구】, 【소외감】, 【미신】

● 아무도 없는 모형 정원

평행세계 중에는 종종 뭔가가 부족한 곳이 있습니다. 건물만 있고 인간은 아무도 없는 세계. 봉마인의 기억에서 파츠를 취해 조립한 것처럼 모든 것이 낯익은 세계. 우리의 세계를 흉내 내서 급조한 듯한 불완전하고 의미가 통하지 않는 세계에 길을 잃은 인간이 들어갈 때가 있습니다.

이런 모형 정원 같은 평행세계에서는 인간이 되다 만 것처럼 생긴 생물이나 수호자에 해당하는 존재에게 쫓길 수 있습니다. 어쩌면 누군가가 인간을 상대로 깔아둔 함정일지도 모릅니다.

추천괴이: 실패작, 구불구불, 달걀귀신, 지옥의 형리

추천광기: 【일그러진 마음】, 【맹목】, 【패닉】, 【광신자】

● 폐쇄된 고리

과거의 인연이 소규모 평행세계를 형성해서, 폐쇄된 채로 계속 같은 시간을 반복할 때가 있습니다. 저택 안이나 마을 하나 등의 좁은 세계에서 피로 얼룩진 참극이 되풀이됩니다.

이 평행세계에서 탈출하려면 무슨 사연이 있는지 조사해서 루프의 원인을 밝혀내야 합니다. 잘 풀어나가면 루프에 사로잡힌 주민들이 해방되고, 봉마인도 원래의 세계로 돌아갈 수 있습니다. 하지만 실패하면 봉마인 또한 루프에 삼켜져 고리 속에서 마냥 구원을 기다리는 꼴이 될지도 모릅니다.

추천괴이: 목 없는 기사, 춤추는 머리, 부유령, 인혼, 악마

추천광기: 【기시감】, 【소외감】, 【절규】, 【구세대】

4.06.01　반복되는 참극의 장면표

　이 캠페인 세팅에 특별한 장면표는 존재하지 않습니다. 게임 마스터는 별도의 방침이 없는 한 조합한 월드 세팅의 장면표를 사용하기 바랍니다.

4.06.02　전용 광기와 전용 에너미

「반복되는 참극」전용의 에너미와【광기】를 소개합니다. 단, 에너미나【광기】는 전용이라고는 해도 꼭 이 세팅에서만 사용할 수 있는 것은 아닙니다. 게임 마스터가 사용하고 싶다면 다른 세팅에서도 마음대로 사용해도 됩니다.

Handout

광기	기시감
트리거	당신이 감정판정에 성공한다.

　당신은 이런 풍경을 전에도 본 적이 있는 것 같다. 당신은 앞으로 무슨 일이 일어날지 알고 있다는 기분이 든다. 이후, 당신이 하는 조사판정에 +1의 수정이 적용되고, 당신이 하는 회피판정에 -1의 수정이 적용된다.

이 광기를
스스로 밝힐 수는 없다.

Handout

광기	망향
트리거	쇼크로 인해 당신의 【이성치】가 감소한다.

　이곳은 당신이 있던 장소와는 다른 세계라는 기분이 든다. 부모도 친구도 왠지 당신이 알고 있는 사람들이 아닌 것 같다. 어서 그곳으로 돌아가야 해! 이후, 회복판정과 감정판정의 펌블치가 1 증가한다.

이 광기를
스스로 밝힐 수는 없다.

Handout

광기	허무감
트리거	당신의 【생명력】이 감소한다.

　얼마나 고생해야 보답받을 수 있을까? 영원히 이런 짓을 계속해야 할까? 당신은 갑자기 허무감에 사로잡힌다. 이후, 당신이 재도전을 하기 위해서는 추가로 【생명력】이나 【이성치】를 1점 소비해야 한다.

이 광기를
스스로 밝힐 수는 없다.

Handout

광기	미시감
트리거	당신의 【이성치】가 감소한다.

　평소에 일상적으로 쓰던 물건일 텐데 사용법을 알 수가 없다. 이거, 어떻게 쓰더라? 당신은 자신이 새로 【광기】를 공개할 때까지 아이템을 사용하거나 소비할 수 없다(【광기】인 【의존】을 공개했을 때는 가지고 있는 「진통제」를 사용할 수 있지만, 효과는 없다).

이 광기를
스스로 밝힐 수는 없다.

● 검은 옷을 입은 남자들

위협도 3　　**속성** 생물/괴이　　**생명력** 9

호기심 지식　　**특기** 《고문》,《분해》,《인류학》

어빌리티 【기본공격】공격 《고문》
【최면술】서포트 《인류학》p157
【기억 소거】서포트 《분해》 지원행동. 드라마 장면에서도 사용할 수 있다. 목표 1명을 선택한다. 목표는《분해》로 판정해서 실패하면 자신의【비밀】과 자신의【거처】이외의【정보】를 모두 잃는다.

해설 무한하게 존재하는 평행세계의 비밀을 은폐하려는 자들입니다. 기억조작 기술을 가지고 있으며, 이상한 라이트나 기계, 수술을 사용하여 기억을 지우려고 합니다.

● 반전자

위협도 4　　**속성** 생물/괴이　　**생명력** 12

호기심 정서　　**특기** 《부끄러움》,《놀람》,《관능》,《교양》

어빌리티 【기본공격】공격 《놀람》
【유혹】서포트 《관능》 기본p181
【껄끄러움】서포트 《부끄러움》 지원행동. 드라마 장면에서도 사용할 수 있다. 이 에너미가 등장했을 때, 캐릭터 1명을 목표로 한다. 목표와 이 에너미가 같은 장면에 있는 동안, 목표와 이 에너미의 펌블치가 2점 증가한다.

해설 PC가 평행세계에 찾아오는 바람에 성질이 약간 개변된 또 한 명의 자신입니다. 성별이나 성격 등 일부 특징이 반전되었습니다. 매우 상대하기 껄끄러운 상대입니다.

● 위대한 종족

위협도 6　　**속성** 괴이/현상　　**생명력** 25

호기심 기술　　**특기** 《사격》,《기쁨》,《함정》,《병기》,《시간》

어빌리티 【기본공격】공격 《사격》
【중화기】공격 《병기》 p155
【압도적 지식】장비 이 에너미는 지식 분야의 특기를 모두 습득한 것으로 간주한다.
【정신 탈취】서포트 《함정》 지원행동. 캐릭터 1명을 목표로 한다. 목표는《함정》으로 판정을 한다. 여기에 실패하면 목표가 다음에 하는 공격의 목표는 GM이 결정할 수 있다.

해설 시간의 비밀을 해명한 위대한 종족. 정신뿐인 존재가 되어 시간을 여행하며, 시간의 비밀을 해명한 위대한 종족. 그 시대에 있는 생물의 몸에 빙의하여 다양한 정보를 수집합니다. 지식욕이 왕성합니다.

● 정복자

위협도 8　　**속성** 괴이　　**생명력** 75

호기심 괴이　　**특기** 《전쟁》,《효율》,《기계》,《병기》,《화학》,《의학》,《우주》

어빌리티 【기본공격】공격 《우주》
【난동】공격 《전쟁》 기본p180
【장갑】장비 기본p183
【삼각전차】장비 이 에너미의【난동】이 입히는 대미지가 2점 증가한다.

해설 미래의 지구를 지배하는 이성인과 그들의 삼각전차입니다. 미래를 지배한 고도의 과학력과 무시무시한 전투능력을 지닌 삼각전차는 인류가 당해낼 수 있는 것이 아닙니다.

4.07 이식(異識)

이식이란 「반복되는 참극」 캠페인 세팅에서 사용할 수 있는 특수한 어빌리티입니다. 보통의 어빌리티에 비해 강력한 효과를 갖춘 것이 많습니다. 무수한 평행세계를 여행함으로써 습득할 수 있습니다.

4.07.01 이식의 습득

이식은 「반복되는 참극」 캠페인 세팅을 사용하는 세션에 참가한 PC밖에 습득할 수 없습니다. 해당 세션의 리스펙 타이밍에 공적점을 사용해서 이식을 습득할 수 있습니다.

각 PC는 (현재 습득하고 있는 이식의 수 + 1) × 10점의 공적점을 사용하면 새로운 이식을 하나 습득할 수 있습니다. 1회의 세션으로 습득할 수 있는 이식은 1개뿐입니다.

몇몇 이식은 습득조건이 설정되어 있습니다. PC가 해당 세션에서 습득조건에 적혀 있는 내용을 충족하지 못했다면 그 이식을 습득할 수 없습니다.

습득한 이식은 어빌리티란에 기재합니다. 효과란에 그 이식을 습득한 세션의 내용에 관해 간단하게 메모를 해둡니다. 이후, 그 PC의 플레이어는 해당 세션에 참가했을 때의 기억을 이용해도 현실회의를 일으키지 않습니다.

이식을 하나 습득할 때마다 그 캐릭터의 【이성치】 최대치가 1점 감소합니다.

한 번 습득한 이식은 일반적인 어빌리티와는 달리 리스펙 타이밍에서 다른 것으로 변경할 수 없습니다. 이식을 습득할 때는 신중하게 선택해야 합니다.

4.07.02 이식의 사용

이식을 사용할 때는 일반적인 어빌리티와 똑같이 처리합니다.

단, 공적점을 사용해서 새로운 일반 어빌리티를 습득할 때는 예외입니다. 이때 사용할 공적점을 산출할 때는 현재의 어빌리티 갯수를 따지는데, 그것을 계산할 때 이식의 수는 제외합니다.

이식: **공격**

해체

타입 공격

습득조건 없음

지정특기 분해

효과 목표 1명을 선택하여 명중판정을 한다. 명중판정에 성공하고 목표가 회피판정에 실패하면, 목표에게 1D6점의 대미지를 입힌다. 이때 명중판정의 스페셜치는 11이다.

해설 그 생물의 취약한 사점(死点)을 찔러서 해체한다.

염동

타입 공격

습득조건 없음

지정특기 포박

효과 생물이나 기물 에너미, 또는 PC 중에서 목표를 1명 선택하여 명중판정을 한다. 명중판정에 성공하고 목표가 회피판정에 실패하면, 목표에게 1D6+3점의 대미지를 입힌다.

해설 사이코키네시스로 목표를 옭아맨다.

복수

타입 공격

습득조건 당신의 소중한 사람이 사망했다

지정특기 정서 분야의 특기 중에서 아무거나

효과 목표 1명을 선택하여 명중판정을 한다. 명중판정이 성공하고 목표가 회피판정에 실패하면, 목표에게 1D6-1점의 대미지를 입힌다. 이때 현재화한 【광기】가 하나 있을 때마다 추가로 1점씩 대미지가 증가한다.

해설 누군가를 지키지 못한 기억이 당신을 복수귀로 만든다.

살육연쇄

타입 공격

습득조건 당신이 누군가를 죽였다

지정특기 폭력 분야의 특기 중에서 아무거나

효과 목표 1명을 선택하여 명중판정을 한다. 명중판정이 성공하고 목표가 회피판정에 실패하면, 목표에게 1D6+(이 세션에서 당신이 행동불능으로 만든 캐릭터의 수)만큼의 대미지를 입힌다.

해설 죽이고 죽이고 또 죽이는 행위.

재액의 날

타입 공격

습득조건 배드엔드표를 사용했다

지정특기 종말

효과 목표 1명을 선택하여 명중판정을 한다. 명중판정이 성공하고 목표가 회피판정에 실패하면, 목표에게 2D6+6점의 대미지를 입힌다. 이 효과는 한 전투당 1회밖에 사용할 수 없다.

해설 낙뢰나 지진 등의 재해가 일어나는 장소로 목표를 유도한다.

성가

타입 공격

습득조건 당신의 【사명】을 달성했다

지정특기 친애

효과 괴이 에너미 중에서 원하는 만큼 목표를 선택하고 명중판정을 한다. 명중판정이 성공하면, 목표는 각자 회피판정을 한다. 회피판정에 실패한 목표에게 3점의 대미지를 입힌다.

해설 괴이를 퇴치하는 성스러운 노래.

이식: **서포트**

환시

타입
서포트

습득조건 없음

지정특기 제육감

효과 당신이 장면 플레이어인 드라마 장면에서 사용할 수 있다. 지정특기 판정에 성공하면【광기】덱의 카드를 위에서부터 3장 볼 수 있다. 그 후, 그 3장을 뒤집어서 임의의 순서로 덱 위에 놓는다.

해설 미래에 일어날 불행을 한순간 엿본다.

시침바느질

타입
서포트

습득조건 없음

지정특기 없음

효과【광기】덱이 모두 없어졌을 때 사용할 수 있다. 1D6을 굴려서 나온 주사위 눈과 같은 수만큼 추가 장면이 발생한다. 추가 장면이 모두 경과할 때까지 게임은 끝나지 않는다(규칙이나 시나리오에서 상정된 리미트를 초과해서 장면을 추가할 수 없다). 단, 그 후【광기】가 1장 공개되는 효과가 발생할 때마다 추가 장면의 수가 하나씩 감소한다. 추가 장면의 수가 0 이하가 되면 게임은 끝난다. 이 효과는 한 세션에 1회만 사용할 수 있다.

해설 재앙이 닥치기까지의 시간을 조금이나마 늦춘다.

꿈의 경고

타입
서포트

습득조건 없음

지정특기 꿈

효과 누군가가【광기】의 효과로 당신에게 대미지를 입히려 할 때 사용한다. 지정특기 판정에 성공하면 그 대미지를 무효로 할 수 있다.

해설 악의나 흉수로부터 몸을 지키는 예언.

결계

타입
서포트

습득조건 없음

지정특기 마술

효과 지원행동. 지정특기 판정에 성공하면 3+(판정의 달성치)만큼의 방호점을 획득한다. 그 후, 같은 장면에 등장한 캐릭터가 괴이 에너미에게 대미지를 입으면 방호점 0점이 될 때까지 원하는 만큼 감소시킬 수 있다. 감소한 방호점만큼 그 대미지를 경감할 수 있다. 이 효과는 그 장면이 끝날 때까지 유지되며, 같은 장면 동안에는 1회만 사용할 수 있다.

해설 괴이로부터 몸을 지키는 결계를 친다.

수호령

타입
서포트

습득조건 당신의 소중한 사람이 사망했다

지정특기 없음

효과 누군가가 대미지를 입었을 때 사용할 수 있다. 그 대미지를 무효로 할 수 있다. 이 효과는 한 세션에 1회만 사용할 수 있다.

해설 당신을 지키기 위해 이전의 세계에서 함께 넘어온 수호령.

임사체험

타입
서포트

습득조건 당신이 사망했다

지정특기 없음

효과 당신의【생명력】이 0점이 되었을 때 사용할 수 있다. 당신의【생명력】을 1D6점 회복할 수 있다. 이 효과는 한 세션에 1회만 사용할 수 있다.

해설 사후세계를 체험하고 부활한다.

이식: **서포트**

암흑윤리
타입
서포트

습득조건 당신이 신 속성 에너미와 만났다

지정특기 없음

효과 당신이 【광기】를 공개했을 때 사용할 수 있다. 당신의 【생명력】이나 【이성치】를 1점 회복할 수 있다.

해설 광기 속에야말로 진실이 숨겨져 있다. 마음을 해방함으로써 힘이 솟아나고 마음이 편안해진다.

근원법칙
타입
서포트

습득조건 당신이 한 장도 【광기】를 공개하지 않았다

지정특기 없음

효과 이 이식을 습득하면 폭력 특기분야 좌측의 갭을 검게 칠한다. 당신이 지정된 특기 대신 다른 특기를 쓸 때 사용할 수 있다. 당신의 【생명력】이나 【이성치】를 1점 감소하면 특기 리스트의 폭력 분야와 괴이 분야가 연결된 것으로 간주한다. 예컨대 《마술》 대신 《구타》를 사용한다면 목표치는 6이 된다.

해설 폭력이 모든 것을 해결해준다는 신념.

괴로운 기억
타입
서포트

습득조건 당신이 【사명】을 달성할 수 없었다.

지정특기 없음

효과 당신이 재도전을 할 때 사용할 수 있다. 그 재도전 판정에 +1의 수정을 적용한다.

해설 과거에 실패했던 기억이 성공을 향한 집착을 낳는다.

신의 이치
타입
서포트

습득조건 당신이 착란상태가 됐다

지정특기 없음

효과 당신이 자신의 【이성치】를 소비, 감소시키는 어빌리티의 효과를 사용했을 때 사용할 수 있다. 당신의 【이성치】가 2점 이하라면 그 【이성치】의 소비 및 감소를 무효로 할 수 있다.

해설 아슬아슬한 시점까지 몰렸을 때 이계의 이치를 떠올린다.

광기감염
타입
서포트

습득조건 당신이 다른 누군가와 서로 플러스 【감정】을 맺었다

지정특기 가변

효과 자기 차례에 사용할 수 있다. 전투 중에는 지원행동으로 간주한다. 같은 장면에 등장한 캐릭터 중에서 당신에 대해 플러스 【감정】을 가진 캐릭터 1명을 목표로 선택한다. 당신의 【이성치】를 1점 소비하고 정서 분야에서 무작위로 특기 하나를 선택해서 판정한다. 성공하면 당신의 현재화한 【광기】 중에서 1장을 고르고, 목표에게 그 【광기】를 현재화시킨다. 한번 이 효과의 대상이 된 상대를 다시 목표로 선택할 수는 없다.

해설 당신에게 마음을 연 자는 당신의 광기에 전염된다.

공포 이야기꾼
타입
서포트

습득조건 당신이 공포판정에 실패했다

지정특기 놀람

효과 자기 차례에 사용할 수 있다. 전투 중에는 지원행동으로 간주한다. 임의의 특기 하나를 선택하고, 그 장면에 등장한 캐릭터 중 아무나 1명을 목표로 선택한다. 지정특기 판정에 성공하면 목표의 【공포심】에 그 특기를 추가할 수 있다. 이 효과는 그 세션 동안 지속되며, 같은 목표에게 누적되지 않는다.

해설 무서운 경험을 이야기해서 그 공포를 심는다.

이식: **장비**

예언서
타입 장비

습득조건 없음

지정특기 없음

효과 세션이 시작할 때 PC 중에서 2명까지 캐릭터를 선택한다. 그 캐릭터의【거처】를 획득한다.

해설 지난번 세계의 자신이 썼던, 친구들에 대한 메모.

허공장보살
타입 장비

습득조건 없음

지정특기 없음

효과 세션이 시작할 때 당신의【호기심】이 아닌 특기 분야를 아무거나 하나 선택한다. 그 세션 동안 그 분야에 속하는 특기로 판정할 때도 재도전을 할 수 있게 된다.

해설 평행세계의 지식이 모여있는 기록에 접속할 수 있다.

오파츠
타입 장비

습득조건 세션이 끝날 때 당신이 프라이즈를 소지하고 있었다

지정특기 없음

효과 자신이 입힐 수 있는 대미지가 2점 증가한다. 또, 이 이식은 무기 아이템으로 사용할 수도 있다. 무기로 사용했다면 그 세션이 끝날 때까지 이 이식은 미습득 상태가 된다.

해설 당신이 가지고 온, 이 세계에 있을 리가 없는 물품.

파워 스폿
타입 장비

습득조건 없음

지정특기 없음

효과 회복판정에 성공했을 때【생명력】을 회복하기로 했다면, 회복하는 수치가 1점이 아니라 1D6점이 된다.

해설 이세계에서 힘이 흘러들어오는 역장(力場)에 관한 지식.

성흔
타입 장비

습득조건 당신이 신 속성 에너미에게 대미지를 입었다

지정특기 없음

효과 전투 중에 당신을 공격한 캐릭터는 공포판정을 한다(에너미라면【생명력】을 1점 감소한다). 이 효과로 한 번이라도 공포판정을 한 캐릭터는 이 이식으로 인한 공포에 적응한다.

해설 신이 그 몸에 새긴 상처.

시간 여행기
타입 장비

습득조건 당신이 이전에 있던 시대와는 다른 시대로 이동했다

지정특기 없음

효과 당신은 다른 월드 세팅의 어빌리티를 습득할 수 있다.

해설 자신이 이전에 있던 세계에서 사용했던 이능에 관련된 기억.

inSANe
Catalogue
of Horror

이 뒤에는 『인세인』의 샘플 시나리오인
「빌라 아네로」와 「야근」이 수록되어 있습니다.
내용을 읽은 시나리오에는 플레이어로 참가할 수 없습니다.
플레이할 예정이라면 읽지 않도록 주의하시기 바랍니다.

부록

Appendix

샘플 시나리오 「빌라 아넬로」

타입: 특수형   **리미트:** 3   **플레이어 수:** 3명

● 시나리오의 무대

이 시나리오는 「반복되는 참극」과 「빅토리아의 어둠」 세팅을 사용한 시나리오입니다. 어느 귀족의 별장인 「빌라 아넬로」가 무대입니다.

이 시나리오는 장면표를 사용하지 않습니다. 그 대신 「빌라 아넬로 평면도」를 복사해서 플레이어들에게 보여줍니다. 장면 플레이어는 그 평면도 안에서 자기 장면의 무대가 될 장소를 선택합니다.

● 배경

이 시나리오의 무대는 영국의 시골 마을 윈터베리에 있는, 「빌라 아넬로」라는 이름의 어느 별장입니다. 빌라란 고대 로마에 기원을 두는 상류계급의 컨트리 하우스입니다. 아넬로는 이탈리아어로 「고리(Ring)」를 의미합니다. 별장의 소유주인 자작이 친구들을 초대하여 조촐한 파티를 열면서 이야기는 시작합니다.

이 시나리오의 시대적 배경은 언뜻 보기에 빅토리아 시대처럼 보이지만, 사실은 현대입니다.

이 전망대가 있는 이탈리아풍 건물은 17세기에 윈터베리 자작이 지었습니다. 자작은 마술사이기도 했으며, 영원한 생명을 원했습니다. 광기에 사로잡힌 자작은 그 소원을 이루기 위해 영지의 젊은 소녀들을 산 제물로 바쳐 악마를 불러냈습니다.

자작의 소원은 이루어졌고, 그의 영혼은 「빌라 아넬로」와 동화했습니다. 그 후, 「빌라 아넬로」에는 살아있는 사람이 거주한 적이 없습니다. 인근 주민들에게서 유령저택이라고 두려움을 사며 400년 동안이나 방치되었습니다.

그동안 이 저택에 숨어든 괴짜도 있었지만, 모두 저택과 동화한 자작에게 죽었습니다. 그리고 그들의 영혼은 자작과 마찬가지로 영원히 저택에 속박당했습니다.

가련한 희생자들은 자작에게 조종당해 그의 지루함을 덜어주기 위한 심심풀이 살인극의 배우가 되었습니다. 그들에겐 자작이 악마에게 전수받은

비술로 인해 자신들이 빅토리아 시대의 인간이며 아직 살아있다는 거짓된 기억이 심겨 있습니다. 하지만 실제로는 모두 유령이며, 이미 예전에 죽었습니다.

PC들도 모두 그런 유령 중 한 명입니다.

빌라 아넬로는 「공포의 고리」(p204)입니다. 살인극의 등장인물이 모두 죽거나, 누군가가 이 무서운 저택에서 탈출하면 모두의 기억이 리셋됩니다. 그리고 다시 죽은 자가 부활하고 파티가 시작합니다.

PC 중 누군가가 자신들이 이미 죽었다는 것을 알아차리는 것이 이 루프에서 탈출하는 조건입니다.

● 시나리오의 목적

이 시나리오의 초반부는 기묘한 살인사건의 범인을 찾는 이야기가 시작된 것처럼 보입니다. GM은 「폭풍이 부는 저택」, 「수상한 손님」, 「기묘한 시체」 등을 한껏 분위기를 살려 연출하여 플레이어들이 그렇게 여기도록 유도합니다.

하지만 PC들이 범인을 찾고자 조사해보면 각 PC가 범인이라는 모순된 증거를 발견할 것입니다. 또, 자신이 살해당하는 꿈을 꾸기도 합니다. 이것은 모두 지금까지 살인극을 반복해 온 PC들의 기억으로 인해 발생한 일입니다. PC들은 자작의 주술로 거짓 기억이 심어져 살인자와 희생자라는 배역을 서로 교대하면서 400년 이상이나 수도 없는 살인극을 반복했습니다. 그래서 PC 전원이 범인이라는 증거가 남아있는 것입니다.

그런 하나하나의 증거들은 중요하지 않습니다. 정상적인 사건이 아니라는 것을 명백하게 알 수 있으면 됩니다. 사건이 아니라는 것만 알 수 있으면 됩니다. 오히려 중요한 것은 「200년 전에 그려진 자신의 젊은 시절 초상화」, 「발행일이 미래인 책」, 「스마트폰」 같은 시대와 어울리지 않는 소도구입니다. 이것들은 PC들이 「어쩌면 지금은 18세기가 아닐지도 몰라」라고 여기게 하기 위한 단서입니다.

이 시나리오는 핸드아웃의 【비밀】을 조사하는 것만으로는 PC들이 탈출 조건을 찾기 어렵게 설계되어 있습니다. 그 정보의 의미, 특히 「당구실」의 【비밀】에 적혀있는 「역시 깊은 광기에 도달한 자만이 세계의 진실을 볼 수 있는 법이다」라는 말에 주목해야 합니다.

● 광기

『인세인』에서 【의심암귀】, 【확산하는 공포】, 【소외감】, 【피에 대한 갈망】, 【괴물】, 【기억상실】, 【다중인격】, 【폭력충동】, 이 책『데드 루프』에서 【공포 연쇄】, 【왜 나만?】, 【짜증】, 【폭로】를 1장씩 준비합니다.

또, 초기 광기로 【기시감】을 3장 준비해서 핸드아웃과 함께 각 PC 전원에게 1장씩 나눠줍니다.

● 프라이즈

이 시나리오에는 「식칼」이라는 프라이즈가 등장합니다.

이 프라이즈는 「주방」의 【비밀】을 획득한 PC가 입수할 수 있습니다. 또, 엄밀히 말하면 프라이즈는 아니지만, 착란 상태가 된 PC는 「세계의 진실」이라는 【비밀】을 획득할 수 있습니다. 이 【비밀】은 3장 준비합니다.

● 도입 페이즈

이 시나리오의 도입 페이즈는 아래와 같습니다.

● 장면1 환영

이 장면은 마스터 장면입니다. PC①과 ②가 등장합니다.

PC②는 시골길에서 마차를 달리고 있습니다. 이곳은 영국에 있는 윈터베리라는 마을입니다. PC②는 친구의 약혼을 축하하기 위해 이 마을의 「빌라 아넬로」라는 별장으로 향하는 참입니다.

창밖으로 보이는 풍경은 서서히 한적해집니다. 때때로 마을 사람과 마주치지만, 다들 꺼림칙한 것을 피하는 것처럼 마차를 무시합니다.

이윽고 곳에 세워진, 전망대가 있는 건물에 도착하여 PC②는 마차에서 내립니다. 구름의 움직임이 수상한 것을 보니 태풍이 불 것 같습니다. 문득 전망대를 올려다보니 그곳에서 PC①이 강풍을 받으며 서 있는 것이 눈에 들어옵니다. PC①과 PC②의 시선이 마주칩니다.

그 시점에서 윈터베리 자작 그레이가 등장합니다. PC①이 남성이라면 자작의 성별은 여성이 되며, 이름은 메리가 됩니다. PC①이 여성이라면 자작의 성별은 남성이 되며, 이름은 찰스가 됩니다.

자작이 PC②를 환영하면서 이 장면은 끝납니다.

● 장면2 약혼 파티

이 장면은 마스터 장면입니다. PC 전원이 등장합니다.

우선 GM은「빌라 아넬로 평면도」의 복사본을 공개합니다.

PC들과 자작은 식당에서 술과 식사를 즐깁니다.

최신식 축음기에서는 당대의 바이올리니스트가 연주한 바흐 연주곡이 흘러나오고 있습니다. 요리는 자작이 직접 만들었는데 맛이 제법 괜찮습니다.

자작이 원래 괴짜로 유명해서 귀족 사회와 잘 어울리지 않았다는 사실을 알려 줍시다. PC①과 약혼한 것을 계기로 하인들에게도 휴가를 준 모양입니다. 이 별장에는 자작과 PC들 이외에는 아무도 없습니다. 자작은 새로 산 이 별장에서 PC①과 느긋하게, 조용히 살고 싶다고 PC들에게 말합니다.

귀족의 약혼을 축하하는 파티치고는 약간 허전한 구석이 있지만, 매우 따스하고 즐거운 시간이 흘러갑니다.

여기에서 PC들에게 자기소개를 하게 하고, 각자의 핸드아웃에 적혀있는【사명】을 읽게 합니다.

각 PC의【사명】에 자작이 죽는다는 내용이 적혀있는 점에 관해 플레이어가 질문한다면, GM은 농담조로「이 시점에서는 자작이 아직 죽지 않았지만, 도입 페이즈의 마지막 부분에서 그렇게 될 예정입니다」라는 식으로 설명합니다. 또,「당신들은 왠지 그런 일이 일어날 것 같다는 예감이 듭니다」라고 덧붙입니다.

● 장면3 드물게 찾아온 손님

이 장면은 마스터 장면입니다. PC 전원이 등장합니다.

파티는 계속 이어지고, PC들은 살롱에서 술을 마십니다.

자작은 빗줄기가 거세진 것을 깨닫고 바깥의 상태를 보러 갑니다. 그리고 자작이 문을 열자, 그 앞에는 노동자로 보이는 남자가 흠뻑 젖은 채 서 있었습니다.

그는 자신을 신문기자인 존 스미스라고 소개합니다. 존의 핸드아웃을 공개합니다.

존은 윈터베리의 농지에 나타난 미스터리 서클을 취재하러 이 마을에 왔다고 합니다. 하지만 외부인을 꺼리는 마을 사람들이 자신을 숙소에서 쫓아내는 바람에 곤경에 처했고, 그러다가 곳에 있는 이 저택을 떠올려 하룻밤 묵게 해달라고 부탁하러 왔다고 말합니다.

자작은 그를 불쌍하게 여겨 살롱이라도 좋다면 묵고 가라고 말합니다.

존까지 가세하여 파티는 계속됩니다. 그동안에도 폭풍은 점점 심해집니다. 참가자가 하나둘씩 술에 취해 곤드라지면서 파티는 어느샌가 막을 내립니다.

각 PC가 객실에서 잠이 들면서 이 장면은 끝납니다.

장면4 새벽

이 장면은 마스터 장면입니다. PC 전원이 등장합니다.

잠을 자던 PC들은 갑자기 유리가 깨지는 듯한 소리를 듣고 눈을 뜹니다.

그리고 침대에서 자고 있던 PC①은 자기 옆에서 자던 자작이 죽었다는 것을 깨닫습니다. 자작은 피를 토했는지 입가나 의복에 대량의 피가 묻어 있습니다. 마치 높은 곳에서 떨어진 것처럼 전신이 기묘한 형태로 뒤틀려 있습니다. 또, 무언가에 찔린 상처도 몇 군데 있습니다.

이 광경을 본 PC는 《찌르기》로 공포판정을 합니다. 특히 자작과 친했던 PC①과 PC②에게는 -1의 수정이 적용됩니다.

살롱에서 자고 있던 존은 자작의 침실에 나타나 PC①을 노골적으로 의심합니다. 이후, 가능한 한 PC①과 같은 장소에 있지 않도록 행동합니다 (PC②나 PC③이 설득하면 이야기가 다릅니다만). 또, GM은 자작의 시체를 어떻게 할지를 PC들에게 물어봅니다.

바깥은 아직 어둡고, 폭풍은 터무니없이 거세졌습니다. PC들이 타고 온 마차는 마을로 돌아가 버렸고, 저택에 전화는 없습니다. 이 폭풍 속을 걸어서 이동하는 것은 위험합니다. 폭풍이 약해질 때까지는 아무튼 이 저택에 있을 수밖에 없습니다.

그리고 다시 한번 각 PC의 【사명】을 확인합니다. 이 장면은 끝나고, 도입 페이즈가 종료됩니다.

● 메인 페이즈

메인 페이즈를 시작할 때 「빌라 아넬로」의 각 방인 「당구실」, 「살롱」, 「식당」, 「욕실」, 「전망대」, 「주방」, 「셀러」의 핸드아웃을 공개합니다.

그리고 이 시나리오에서는 장면 플레이어가 장면표를 사용하는 대신 「빌라 아넬로 평면도」에서 자기 장면의 무대가 될 장소를 선택해야 한다는 것을 알려줍시다. 각 방의 핸드아웃은 해당하는 방을 무대로 하지 않으면 조사판정을 할 수 없습니다.

또, 이 시나리오에서는 다음과 같은 마스터 장면이 발생합니다.

● 젊은 아가씨의 유령

제1 사이클 첫 번째 장면 뒤에 삽입합니다.

PC③은 문득 누군가의 기척을 느끼고 돌아봅니다. 그러자 시야 구석에서 피로 물든 낡은 스커트 자락이 눈에 들어옵니다. 확인하려고 다시 자세히 봐도 그곳에는 아무도 없습니다.

PC③은 《영혼》으로 공포판정을 합니다.

● 두 번째 살인

제1 사이클 마지막에 삽입합니다.

욕실 쪽에서 비명이 들립니다. 존의 목소리입니다. PC들이 황급히 뛰어가면 자작과 같은 모습이 된 존의 시체를 발견합니다. 이 광경을 본 PC는 《구타》로 공포판정을 합니다.

또, GM은 존의 시체를 어떻게 할지를 PC들에게 묻습니다.

● 죽은 자의 발소리

제2 사이클 마지막에 삽입합니다.

바로 앞 장면에 등장하지 않은 PC가 등장합니다(바로 앞 장면에 PC 전원이 등장했다면, PC 전원이 등장합니다). 장소를 정합니다. 존의 시체를 놓아둔 쪽에서 뭔가를 질질 끄는 소리가 들려옵니다. 그리고 갑자기 걸어다니는 시체로 변한 존이 나타납니다. 그것을 본 PC는 《죽음》으로 공포판정을 합니다. 그 후, 「걸어 다니는 시체」(기본p249) 하나와 전투합니다.

● 살인극

누군가가 초기 광기인【기시감】을 공개할 때마다 그 장면 뒤에 삽입합니다. 이 마스터 장면은 최대 3회 발생합니다.

【기시감】을 공개한 PC는 꿈을 꿉니다.

그 PC가 PC①이라면, PC①이 주방에서 자작을 찔러 죽이고, 그 후에 PC②에게 독살당하여 복수를 당하는 꿈을 꿉니다. PC①은《약품》으로 공포판정을 합니다.

그 PC가 PC②라면, PC②가 자작을 살롱에서 독살하고 PC③에게 쫓기다가 전망대에서 떠밀려 추락하는 꿈을 꿉니다. PC②는《구타》로 공포판정을 합니다.

그 PC가 PC③이라면, PC③이 전망대에서 자작을 밀어 떨어뜨리고 PC①에게 찔려 죽는 꿈을 꿉니다. PC③은《찌르기》로 공포판정을 합니다.

● 광기의 건너편

이것은 누군가가 착란상태가 되었을 때 발생하는 마스터 장면입니다. 이 마스터 장면은 PC가 착란상태가 될 때마다 발생합니다. 클라이맥스 페이즈에서도 발생합니다.

착란상태가 된 PC는「빌라 아넬로」의 살롱에서 무수한 마을 처녀를 죽이며 어떤 의식을 치르는 자작의 환영을 봅니다. GM은 그 PC의 플레이어에게 핸드아웃「세계의 진실」을 넘겨줍니다. 이【비밀】은 정보공유가 발생하지 않습니다. 또, 다른 PC에게 보여줄 수도 없습니다.

● 조킹

·시나리오 중에 폭풍이 그치는 일은 없습니다. 오히려 사이클의 진행에 따라 점점 거세집니다.

·자작이나 존의 자상(刺傷)에 주목하는 PC가 있다면,「『주방』에 이 상처와 같은 크기의 식칼이 있었던 것 같다.『주방』의【비밀】을 조사하면 식칼의 소재를 알 수 있을지도 모르겠다.」라고 알려줍니다.

·존의 시체를 조사하면 직사각형의 금속제 판을 발견합니다(스마트폰입니다). 한쪽 면은 까만 유리로 되어 있습니다. 유리면을 건드리면 빛이 나

면서 숫자가 나타나지만, 내버려 두면 다시 검어집니다. 시간이 지나면 아무런 반응도 보이지 않게 됩니다.

·「광기와 마술」을 조사하면 발행일이 1920년이라는 것을 알 수 있습니다. PC③이 이 사실을 깨달았다면《시간》으로 공포판정을 합니다.

● 클라이맥스 페이즈

제3 사이클이 끝나면 클라이맥스 페이즈가 됩니다.

PC들의 앞에 죽었을 터인 자작이 나타납니다. 자작의 뒤에는 무참하게 죽은 젊은 여자들이 버티고 서서 PC들을 놓치지 않겠다는 눈으로 바라봅니다. PC들은 모두《원한》으로 공포판정을 합니다.

자작은「하하하하, 나를 죽인 건 누구지?」라고 말하며, 「너야?」「아니면 너야?」라고 차례대로 PC들을 가리킵니다. 그 표정은 생전의 자작과는 딴판으로 사악합니다. 하지만 PC들은 그것이야말로 자작의 진짜 얼굴이라는 것을 직감합니다.

자작은 식칼을 들고 PC들에게 덤벼듭니다. PC들은 너 나 할 것 없이 이 저택에서 도망치기 위해 뛰쳐나갑니다.

저택에서의 투쟁은 자작과 전투를 하는 형태로 처리합니다. PC들이 도망치려고 하면 저택은 미로처럼 복잡한 형태로 변화합니다. 자작에게 대미지를 입힐 때마다 저택의 문을 부수고 출구에 다가갑니다. 자작의【생명력】을 0으로 만들면 출구에 도달합니다.

자작은「지옥의 저택」(기본p250)의 댐드(p153)로 취급합니다. 저택에 있는 각 방의【비밀】은 이「지옥의 저택」의【비밀】로 간주합니다. 또, PC가 획득한 각 방의【비밀】하나당 3점씩「지옥의 저택」의【생명력】이 감소합니다(같은 방의【비밀】을 두 명의 PC가 알고 있어도 그것으로【생명력】이 6점 감소하지는 않습니다). 이 전투에서 자발적으로 탈락할 수는 없습니다. 자작은 공격할 때마다「도망쳐도 소용없어! 너는 이 저택에서 나갈 수 없어!」「네가 가장 먼저 죽는 역할을 맡아!」「몇 번이라도, 몇 번이라도 함께 즐기자구!」라며 말을 걸어옵니다.

PC 전원이 행동불능 또는 사망 상태가 되거나, 자작이 행동불능이 되면 전투는 끝납니다.

● 그 후

자작의 【생명력】을 0점으로 만들어서 출구에 도달하면 PC들은 「빌라 아넬로」 밖으로 나갈 수 있습니다. 탈출한 PC의 눈에 눈 부신 빛이 보입니다. 여기에서 GM은 탈출에 성공한 PC의 플레이어에게 메모지를 나눠줍니다. 그리고 「이 저택에서 탈출하는 방법을 적어주세요」라고 전합니다. 이때 상의하는 것은 금지입니다.

각 플레이어가 탈출 방법을 적으면, GM은 메모지를 회수해서 내용을 확인합니다. 「자신이 이미 죽었다」는 사실을 알아차려야 쓸 수 있는 내용을 적은 플레이어의 PC는 「빌라 아넬로」에서 해방됩니다.

그 후, 배역을 변경하여 다시 도입 페이즈의 「환영」 장면을 되풀이합니다. NPC인 존이나 탈출방법을 알아내지 못한 플레이어의 PC, 지옥의 저택과의 싸움에서 행동불능이 된 PC 등이 이 장면에 등장합니다. 새로운 희생자가 마차를 타고 와서 전망대를 올려다보는 장면에서 세션은 끝납니다.

Handout

이름	세계의 진실

자각하지 못하기에 갇히는 것이다. 진실을 깨닫지 못하기에 영원한 것이다. 자신이 지금 어떤 상태인지를 알아차리면 당신은 해방되리라. 이 【비밀】을 본 자는 【진정한 사명】이 「이 저택에서 탈출하는 것」으로 변경된다.

이 광기를
스스로 밝힐 수는 없다.

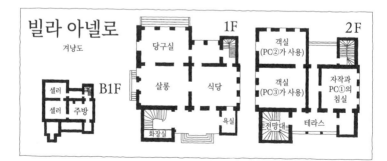

빌라 아넬로

겨냥도

B1F
셀러
셀러 주방

1F
당구실
살롱 식당
욕실
화장실

2F
객실
(PC②가 사용)
객실
(PC③가 사용)
자작과
PC①의
침실
전망대 테라스

Handout

이름	PC①

사명

당신은 자작의 약혼자다. 자작은 의지할 곳 없는 평민인 당신에게 상냥하게 대해주었다. 자작은 절친한 친구들과 함께 시골 마을의 별장에서 약혼을 축하하는 파티를 하기로 했다. 연회 다음 날 아침, 자작은 시체로 발견되었다. 당신의 【사명】은 자작을 죽인 범인을 찾아내는 것이다.

Handout
비밀

쇼크	PC②

당신은 사실 재산을 노리고 자작에게 접근했다. 결혼 후에 자작을 죽이려고 했지만……. 그리고, 당신에게는 왠지 어젯밤의 기억이 없다. 당신은 어쩌면 자신이 자작을 죽여버린 것은 아닌가 하고 고민하고 있다. 당신의 【진정한 사명】은 당신을 지키고 사랑해줄 새로운 옹호자를 찾는 것이다.

이 비밀을
스스로 밝힐 수는 없다.

Handout

이름	PC②

사명

당신은 자작의 친구다. 자작과는 어린 시절부터 형제처럼 친하게 지냈다. 자작은 절친한 친구들과 함께 시골 마을의 별장에서 약혼을 축하하는 파티를 하기로 했다. 연회 다음 날 아침, 자작은 시체로 발견되었다. 당신의 【사명】은 자작을 죽인 범인을 찾아내는 것이다.

Handout
비밀

쇼크	PC①

당신은 옛날부터 자작을 사랑했다. 그래서 평민 주제에 자신에게서 자작을 빼앗은 PC①을 용서할 수 없었다. 당신은 PC①을 죽이기 위해 음료에 몰래 벨라도나의 독을 탔다. 하지만 죽은 것은 자작이었다. 당신의 【진정한 사명】은 이 【비밀】을 안 자의 입을 막는 것이다.

이 비밀을
스스로 밝힐 수는 없다.

Handout

이름	PC③

사명

당신은 자작의 친구다. 자작은 괴짜로 유명하며, 같은 취미를 가진 당신과는 매우 마음이 맞았다. 자작은 절친한 친구들과 함께 시골 마을의 별장에서 약혼을 축하하는 파티를 하기로 했다. 연회 다음 날 아침, 자작은 시체로 발견되었다. 당신의 【사명】은 자작을 죽인 범인을 찾아내는 것이다.

Handout

비밀

쇼크	없음

당신은 신비주의자다. 자작이 산 빌라 아넬로에는 무시무시한 악령이 씌었다는 소문이 있다. 당신은 현재 집필 중인 「광기와 마술」의 취재를 겸하여 자작의 집을 방문했다. 당신의 【진정한 사명】은 「빌라 아네로」와 「악령」의 수수께끼를 해명하는 것이다.

이 비밀을
스스로 밝힐 수는 없다.

Handout

이름	존 스미스

사명

당신은 신문기자다. 최근 농지에 나타난 수수께끼의 미스터리 서클을 취재하러 런던에서 왔다. 하지만 외부인을 경계하는 마을 사람들로 인해 마을에서 쫓겨난 데다가 폭풍을 만나고 말았다. 그래서 당신은 빌라 아넬로에 들어왔다. 당신의 【사명】은 이 이상한 사건을 해결하는 것이다.

Handout

비밀

쇼크	없음

당신이 진짜로 취재하고 있는 것은 「빌라 아넬로의 악령」이다. 당신의 취재에 따르면 최근 이 마을에서 젊은 소녀가 연이어 두 명 정도 살해당했다. 200년 전 「빌라 아넬로」에 살던 당주는 악마 숭배자로, 마을의 젊은 여인들에게 잔학한 행위를 했다는 전설이 남아 있다. 당신은 자작이 그 당주의 자손이며 이번 사건의 범인도 자작이 아닐까 하고 의심하고 있다.

이 비밀을
스스로 밝힐 수는 없다.

Handout

장소	당구실

개요

오락실. 간소한 포커 테이블이나 독서용 책도 있다.

이 【비밀】은 당구실을 무대로 하는 장면에서만 조사할 수 있다.

Handout
비밀

쇼크	전원

PC③의 저서가 발견된다. 제목은 「광기와 마술」. 그 내용에 따르면 빌라 아넬로의 초대 당주는 악마에게서 영원한 생명과 죽은 자를 조종하는 힘을 받은 모양이다. 끝부분에는 자작의 것으로 보이는 메모가 있다. 「역시 깊은 광기에 도달한 자만이 세계의 진실을 볼 수 있는 법이다. 광기를 두려워해서는 안 된다.」

이 비밀을
스스로 밝힐 수는 없다.

Handout

장소	살롱

개요

푹신한 소파와 튼튼한 놋쇠 데이블이 있다. 천장에는 아름다운 샹들리에가 있고, 벽에는 젊은 시절의 자작과 PC②를 그린 큰 그림이 걸려있다.

이 【비밀】은 살롱을 무대로 하는 장면에서만 조사할 수 있다.

Handout
비밀

쇼크	PC②

이 그림은 200년 전에 그린 것이다. 이 【정보】를 획득한 자는 《시간》으로 공포판정을 해야 한다.

이 비밀을
스스로 밝힐 수는 없다.

Handout

장소	식당

개요

8인용 테이블이 있는 식당. 축음기도 갖추고 있다.

이 【비밀】은 식당을 무대로 하는 장면에서만 조사할 수 있다.

Handout

비밀

쇼크	전원

자작이 상냥하게 웃으며 요리를 만드는 장면을 떠올린다. 「요리는 내가 할 테니까 살롱에서 편안히 쉬고 있어.」 그 말을 듣고 살롱으로 갔다. 그런데, 그러고 보니 자작은 무슨 고기를 조리하고 있었더라? 냄비에서 비어져 나온 그 가느다랗고 하얀 팔 같은 고기는 뭐였지? 이 【정보】를 획득한 자는 《맛》으로 공포판정을 해야 한다.

이 비밀을
스스로 밝힐 수는 없다.

Handout

장소	욕실

개요

매우 넓고 상쾌한 욕실. 아름다운 욕조에 최신식 샤워 시설도 갖추고 있다.

이 【비밀】은 욕실을 무대로 하는 장면에서만 조사할 수 있다.

Handout

비밀

쇼크	이 【비밀】을 최초로 본 자

갑자기 샤워기에서 새빨간 액체가 흘러나오기 시작한다. 피다! 그 피를 뒤집어썼을 때, 당신은 예전에도 이렇게 대량의 피를 뒤집어쓴 기억이 있는 듯한 기분이 든다. 이 【정보】를 획득한 자는 《찌르기》로 공포판정을 해야 한다.

이 비밀을
스스로 밝힐 수는 없다.

Handout

장소	전망대

개요

마을을 한눈에 볼 수 있는 전망대. 전망대로 올라가는 계단은 비로 젖어 있다. 아무래도 비가 들이치는 것 같은데…….

이【비밀】은 전망대 무대로 하는 장면에서만 조사할 수 있다.

Handout
비밀

쇼크	이【비밀】을 최초로 본 자

전망대로 통하는 계단을 올라가다가 불가사의한 공포를 느낀다. 이 계단을 올라가면 안 될 것 같다. 이 계단을 올라가면 누군가에게 떠밀려 죽을 것 같은 기분이 든다.

이 비밀을
스스로 밝힐 수는 없다.

Handout

장소	주방

개요

지하에 있는 주방. 근사한 조리기구를 갖추고 있다.

이【비밀】은 주방을 무대로 하는 장면에서만 조사할 수 있다.

Handout
비밀

쇼크	전원

뭔가의 피가 묻은 근사한 식칼이 있다. 처음으로 이【정보】를 획득한 자는 프라이즈「식칼」을 획득할 수 있다.「식칼」을 획득하지 않았다면, 이어서 이【정보】를 획득한 자가 프라이즈「식칼」을 획득할 권리를 얻는다.

이 비밀을
스스로 밝힐 수는 없다.

Handout

장소	셀러

개요

와인이나 오래된 가구를 넣는 창고.

이【비밀】은 셀러를 무대로 하는 장면에서만 조사할 수 있다.

Handout
비밀

쇼크	전원

오래된 서적을 발견한다. 이 저택의 첫 주인이 쓴 일기인 것 같다. 거기에는 마을 사람들을 고문하는 것이 얼마나 감미로운지가 집요하게 적혀 있다. 또, 마지막 부분에는 「소녀들의 영혼과 맞바꿔서 악마는 나에게 영원을 주었다」라고도 적혀 있다. 이【정보】를 획득한 자는《암흑》으로 공포 판정을 해야 한다.

이 비밀을
스스로 밝힐 수는 없다.

Handout

장치	프라이즈 **식칼**

개요

피가 묻은 식칼. 이 프라이즈는 「무기」로도 사용할 수 있다. 이 프라이즈를 획득했을 때《인류학》판정을 할 수 있다. 성공하면 이 프라이즈의【비밀】을 획득할 수 있다(소유주는 일반적인 정보판정에 성공한 경우에도 이【비밀】을 획득할 수 있다). 이 프라이즈는 드라마 장면에서 남에게 전달할 수 있다.

Handout
비밀

쇼크	PC①

이 식칼에는 자작과 PC①의 지문밖에 묻어있지 않다.

이 비밀을
스스로 밝힐 수는 없다.

샘플 시나리오 「야근」

타입: 협력형   **리미트:** 3   **플레이어 수:** 4명

● 시나리오의 무대

이 시나리오는 「사실은 무서운 현대 일본」 세팅을 사용한 시나리오입니다. 캠페인의 일부로서 플레이한다면 「반복되는 참극」 세팅으로 플레이할수도 있습니다. PC들이 야근을 하는 회사가 무대입니다.

장면표는 이 시나리오에 수록된 「야근 장면표」를 사용합니다. 또, 핸드아웃의 【비밀】에 「호러 스케이프」 표기가 있다면 마찬가지로 이 시나리오에 수록된 「야근 호러 스케이프」를 사용해 무작위로 공포 장면을 묘사합니다.

● 이벤트

시나리오의 무대는 어느 오피스 빌딩의 5층에 있는 작은 IT 기업입니다.

이 회사의 사장은 집안에 대대로 전해지는 「챠구나루묘진(茶愚成明神)」을 믿으며, 경영난에 빠질 때마다 산 제물을 바쳐 궁지를 벗어났습니다. 지금 회사의 경영은 또다시 기울고 있습니다. 이대로는 곤란하다고 여긴 사장은 급한 업무를 구실로 사원에게 야근을 명령하여, 밤에 사내를 배회하는 챠구나루묘진에게 산 제물로 바치기로 했습니다.

그런 사정을 모르는 불행한 사원들은 야근 중에 갖가지 공포와 맞닥뜨리게 됩니다.

● 광기

『인세인』에서 【의심암귀】, 【확산하는 공포】, 【절규】, 【현실도피】, 【폭력충동】을, 이 책 『데드루프』에서 【일그러진 마음】, 【예지몽】, 【왜 나만?】, 【과대망상】, 【우행】, 【빙의】, 【짜증】, 【폭로】, 【기시감】, 【허무감】, 【미시감】을 1장씩 준비합니다.

● 프라이즈

이 시나리오에는 「코끼리 열쇠」, 「신상」, 「목돈」이라는 세 개의 프라이즈가 등장합니다.

「코끼리 열쇠」는 사장실 안쪽의 방으로 들어가는 문을 여는 아이템입니다. 「신상」은 안쪽 방에 모셔진 「챠구나루묘진(神體)」의 신체(神體)인데, 인간을 산 제물로 바치면 소유자의 소원을 이루어주는 힘이 있습니다.

「목돈」은 PC④가 사장실의 금고를 열면 입수하는 아이템입니다.

셋 중 무엇이든 간에 프라이즈를 획득한 소유자는 해당 프라이즈의 【비밀】을 획득할 수 있습니다. 정보공유는 발생하지 않습니다. 소유자 이외의 캐릭터가 조사판정으로 프라이즈의 【비밀】을 조사할 수는 없습니다. 드라마 장면이라면 프라이즈를 전달할 수는 있습니다.

● 특수 규칙: 전화 받기

메인 페이즈 동안 각 장면이 시작할 때 회사의 유선 전화가 울립니다. 의뢰인의 전화일 수도 있으므로 무조건 받아야 합니다. 전화를 받을 PC를 정하고 야근 전화표를 사용합니다. 장면 플레이어가 아니어도 전화는 받을 수 있습니다. 또, 마스터 장면에서는 전화가 울리지 않습니다.

● 특수 규칙: 진척점(PP)

진척점(PP)은 일의 진행 상황을 나타내는 수치입니다. 메인 페이즈의 매 장면이 종료할 때, 장면 플레이어가 1D6을 굴려서 나온 수치만큼 PP가 쌓입니다. 일을 끝내기 위해서는 클라이맥스 페이즈 종료 시점의 PP 합계치가 PC의 수×10점 이상이어야 합니다. 이 시나리오의 PC 수는 4명이므로 목표는 40점입니다.

사원이 아닌 PC④도 pp를 쌓을 수 있습니다. 이것은 각자의 차례가 될 때마다 시간이 흐르면서 일정량의 일이 진행됨을 나타냅니다. 자기 장면에서 탐색을 하지 않고 일만 하겠다는 PC가 있다면, 그것은 단순히 행동을 패스하는 것일 뿐이라고 알려줍시다.

● 도입 페이즈

이 시나리오의 도입 페이즈는 아래와 같습니다.

● 장면1 이미 심야에 접어들어

이 장면은 마스터 장면입니다. PC①②③ 공통입니다.

한밤중의 사무실에 키보드를 두드리는 소리와 마우스를 클릭하는 소리가 울립니다. 회사에는 급한 일 때문에 사장으로부터 야근을 명령받은 프로젝트 리더, 녹초가 된 웹 디자이너, 오늘 막 온 아르바이트까지 세 명이 남아 있습니다.

보통은 자정이 넘어서까지 야근을 하지는 않지만, 아무래도 오늘은 예외인 모양입니다. 일은 한없이 이어져 언제 끝날지도 알 수 없습니다.

이번에 맡은 일은 기업의 웹 사이트 제작으로, 내일 아침까지 납품해야 합니다. 작업의 마무리를 앞두고 의뢰인에게서 끊임없이 전화가 걸려옵니다.

PC①②③에게 자기소개를 시키고, 핸드아웃의【사명】을 읽어줍니다.

또, 회사나 의뢰인의 이름은 그다지 중요하지 않습니다. 하지만 미리 논의해서 정해두면 이미지를 떠올리기 쉬울 것입니다. 회사명 결정표 1~3을 굴려서 마음대로 조합하거나, 임의로 정합니다.

플레이어가 도저히 소규모 IT 기업의 이미지를 떠올리지 못한다면 다른 업종으로 바꿔도 됩니다. 의뢰인이 있고, 재촉받고 있는 업무가 있다는 점을 유지한다면 묘사를 변경해도 무방합니다.

● 장면2 한밤중의 손님

이 장면은 마스터 장면입니다. 엘리베이터가 올라오는 소리가 들리고, 회사의 인터폰이 울립니다.

경비회사의 제복을 입은 PC④가 들어와서 이상이 없느냐고 PC①②③에게 묻습니다. PC④에게 자기소개를 하게 하고, 핸드아웃의【사명】을 읽어줍니다.

PC④는 경비 장치의 작동을 감지한 경비 회사에서 파견되었습니다. 경비장치를 조사해보니 아무래도 고장 난 것 같습니다. 경비 회사와 상담한 결과, 이 회사의 사무실이 문을 잠그는 것까지 확인하고 돌아오라는 명령을 받았습니다.

● 장면3 출구 부재

이 장면은 마스터 장면입니다.

PC들이 이야기를 나누고 있는데, 갑자기 엘리베이터에서 끼기긱하고 소음이 들립니다. 이어서 뭔가가 떨어져 부서지는 커다란 소리. 확인하러 가봤더니 엘리베이터가 작동을 정지했습니다! 문을 열면 시커먼 엘리베이터 샤프트밖에 보이지 않습니다.

PC④가 업자를 불러봤지만, 한밤중이라서인지 올 때까지 시간이 걸릴 것 같습니다. 설령 즉시 와서 고친다 해도, 어차피 바로 퇴근하지는 못합니다. PC①②③은 일을 하러 돌아가고, PC④는 순찰을 시작합니다.

여기에서「화장실」,「급탕실」,「회의실」,「베란다」,「엘리베이터」,「비상계단」의 핸드아웃을 공개합니다.

이 장면은 끝나고, 도입 페이즈가 종료합니다.

● 메인 페이즈

메인 페이즈가 시작할 때「전화 받기」와「진척 점(PP)」규칙을 설명합니다. 각 PC의 장면이 시작할 때 전화 받기 규칙을 사용하고, 끝날 때 PP를 결정합니다.

또, 이 시나리오에서는 아래의 마스터 장면이 발생합니다. 마스터 장면에서는 PP가 쌓이지 않으며, 전화도 울리지 않습니다.

● 사장실에서 들리는 소리

제1 사이클이 끝나는 타이밍에 시작하는 장면입니다.

갑자기 쾅! 쾅! 하고 문을 두드리는 소리가 들려서 모두 소스라치게 놀랍니다. 소리는 사장실 쪽에서 들리는 것 같습니다.

전원,《소리》로 공포판정을 합니다.

핸드아웃「사장실」이 공개됩니다.

● 이웃 빌딩

제2 사이클이 끝나는 타이밍에 시작하는 장면입니다.

강한 바람이 불어닥친 것처럼 갑자기 텅! 하고 창이 울립니다.

놀라서 창을 봐도 언뜻 보기에는 이상한 것은 없습니다.

하지만 자세히 보면 위화감을 느낍니다.

도로를 사이에 두고 맞은편의 빌딩의 창이나 베란다, 옥상이나 비상계단에 무수한 그림자가 서 있습니다.

그림자는 미동조차 하지 않으며, 어두워서 얼굴도 안 보입니다. 그런데도 왠지 PC들 쪽을 똑바로 바라보고 있다는 것을 알 수 있습니다.

《풍경》으로 공포판정을 합니다.

블라인드를 내리면 이 풍경은 보이지 않게 됩니다.

● 코끼리의 문

사장실에서「안쪽 방」으로 들어가는 문을 발견한 타이밍에 시작하는 장면입니다.

문은 잠겨 있는데, 낡은 열쇠 구멍 주위를 보면 코끼리 모양으로 디자인했다는 것을 알 수 있습니다. 문에 달린 불투명 유리로 안을 보면 건너편에 누군가가 서 있는 것처럼 보입니다.

《영혼》으로 공포판정을 합니다.

문 너머의 그림자는 불러도 대답하지 않습니다. 단지 서 있을 뿐입니다.

● 안쪽의 방

안쪽의 방에 들어가면 불투명 유리 너머로 봤던 그림자는 어디에도 없습니다.

방 안은 휑뎅그렁하고, 안쪽에는 단상 위에 오도카니 놓인 높이 30cm 정도의 조각상이 있습니다. 이것은 챠구나루묘진의 조각상입니다. 건드린 사람은 프라이즈「신상」을 손에 넣습니다.

방구석에는 간소한 나무 테이블이 있으며, 몇 개의 공구가 아무렇게나 놓여 있습니다. 무엇에 쓰인 것인지 검붉은 녹으로 뒤덮여 있습니다. 여기에 있는 공구를 사용하면「비상계단」을 통해 바깥으로 나갈 수 있습니다.

● 납품

메인 페이즈 중에 PP가 40에 도달하면 일이 끝납니다. PC①에게 납품 완료를 선언합시다. 모든 PC는【생명력】이나【이성치】를 1점 회복할 수 있습니다. 이후, 원한다면 언제라도 예정을 앞당겨서 클라이맥스 페이즈에 들어갈 수 있습니다.

● 조킹

● 비상계단 이외의 탈출수단은 없습니다. 엘리베이터 샤프트나 베란다에서 뛰어내리는 것은 가능하지만, 목숨을 잃을 가능성이 큽니다.

●「사장실」을 탐색하면 책장을 움직인 흔적이 바닥에 남아있다는 것을

알 수 있습니다. 책장 뒤를 탐색하겠다고 선언하는 사람이 있다면 「안쪽의 방으로 통하는 문」이 발견됩니다. 「안쪽의 방」으로 이어지는 이 문은 잠겨 있습니다. 「화장실」에서 발견한 프라이즈 「코끼리 열쇠」를 사용하면 열 수 있습니다. 문의 불투명 유리를 깨고 팔을 집어넣어 안에서 문을 열 수도 있습니다. PC가 그런 수단을 취한 경우, 어지간히 비현실적이지 않은 이상 인정해도 됩니다.

● 「사장실」의 금고는 PC④라면 열 수 있습니다. PC④가 금고를 열면 프라이즈 「목돈」을 입수할 수 있습니다. 그것을 다른 사람들이 어떻게 여길지는 모릅니다만……

● 인터넷을 사용하거나 서류를 뒤져서 「회사의 과거」, 「공동 창설자」 등을 조킹한 경우, 사장과 함께 이 회사를 설립한 공동창설자가 8년 전에 실종된 것을 알 수 있습니다. 기울어져 가던 회사의 경영이 그 직후에 회복한 것도. 계속 조사하면 그 이후에도 몇 번인가 경영이 파탄 날 위기를 맞이했고, 그때마다 왠지 경기가 다시 회복되었다는 것을 알 수 있습니다. 그리고 바로 지금, 또다시 경영이 파탄 나기 일보 직전이라는 것도……

● 챠구나루묘진에 대한 조킹은 어떤 정보도 얻지 못합니다.

● 신상을 손에 넣었을 때

누군가가 메인 페이즈 중에 소원을 이루려고 시도한다면, GM은 클라이맥스 페이즈 이후가 아니면 소원을 이룰 수 없다고 알려줍니다.

● 클라이맥스 페이즈

제3 사이클이 끝나면 클라이맥스 페이즈가 됩니다.

일의 타임 리미트가 옵니다. PP가 규정된 수치(PC 수 × 10)에 도달했는지를 확인합니다.

PP가 규정 수치에 도달하지 않았다면 클라이맥스 페이즈 동안 최후의 발버둥을 시도할 수 있습니다.

● 챠구나루묘진과의 전투

클라이맥스 페이즈가 되면 안쪽 방에서 피에 굶주린 챠구나루묘진이 나

타나 뒤뚱뒤뚱 걸어 나와서 남은 PC들을 습격합니다. 현현한 챠구나루묘
진은 뚱뚱하고 살이 찐, 코끼리의 머리에 인간의 몸을 지닌 괴물입니다.
힘센 양손으로 희생자를 붙잡고, 코끝에 달린 가시 돋친 빨판으로 피를 빨
려고 합니다. 전원,《혼돈》으로 공포판정을 합니다.

전투가 벌어집니다. 챠구나루묘진의 데이터는「흡혈귀」(기본p272)를
사용합니다. 이 전투에서는 맹공 선택 규칙(p153)을 사용합니다. 챠구나
루묘진은 상대가「신상」을 가지고 있어도 아랑곳하지 않고 공격합니다.

각 PC는 전투 중의 자기 차례에 지원행동으로「업무」를 할 수 있습니다.
무작위로 선택한 특기로 판정하여 성공하면 PP를 1D6점 추가합니다.

전투에서【생명력】이 0이 된 PC는 행동불능이 되며, 전투가 끝날 때 챠
구나루묘진에게 먹혀 사망합니다. 다른 PC가 데리고 도망칠 수는 있지만,
그 PC는 무조건 챠구나루묘진의 공격을 한 번 받습니다(회피판정은 할 수
있습니다).

전투에서 자발적으로 탈락한 PC는 비상계단으로 도망칠 수 있습니다.
하지만 챠구나루묘진은 그것을 방해합니다.

전투가 시작되고 6라운드가 경과하면 챠구나루묘진은 사라지고, 전투는
끝납니다. 소원을 이룰 수 있을지도 모릅니다.

챠구나루묘진을 쓰러뜨리면 그는 포효하며 사라집니다.「신상」도 부서
집니다. 역시 전투는 끝나며, 클라이맥스 페이즈는 종료됩니다.

● 소원

전투가 끝난 후,「신상」프라이즈를 가진 PC는 전투에서 챠구나루묘진
에게 먹힌 PC의 수만큼 소원을 빌 수 있습니다.

게임상으로는 아래와 같은 소원을 이룰 수 있습니다.

- 일을 끝낸다 (PP가 최대치가 된다)
- 집에 돌아간다 (클라이맥스 페이즈가 끝날 때 어떤 상태였더라도 살
  아서 집에 돌아간다)
- 부자가 된다 (프라이즈「목돈」을 입수한다)
- 사장이 된다 (사장이 실종되고, 새로운 사장이 된다)

PC가 다른 소원을 떠올렸다면, GM은 가능한 범위에서 들어줘도 됩니다. 단,「세계가 평화로워지기를」같은 거대한 소원에 대해서는「제물이 부족하다. 나에게 더 많은 피를 바쳐라.」라는 요구를 합니다. 거기에 따른 결과가 어떨지는 GM과 플레이어가 상의해서 결정합니다.

● 퇴근

안쪽 방에 있던 공구를 사용하면 비상계단을 막고 있는 문을 열 수 있습니다. 비상계단을 통과할 수 없다면 결판이 날 때까지 전투를 할 수밖에 없습니다.

엘리베이터 샤프트나 베란다에서 뛰어내려서 도주를 시도하면 2D6점의 대미지를 받습니다. 그 결과,【생명력】이 1점 이상이라면 퇴근할 수 있습니다. 뛰어내렸다가 전원의【생명력】이 0점이 되면「배드엔드표」를 사용합니다.

PC 전원이 전투에서 탈락하거나 행동불능이 되면 클라이맥스 페이즈는 종료됩니다.

● 그 후

전투에서 챠구나루묘진을 쓰러뜨렸다면 사장이 실종됩니다.

클라이맥스 페이즈가 끝날 때 아무도 죽지 않았다면, 사장이 실종되고 회사의 경영 상태가 회복됩니다.

PC 중 누군가가 죽었다면 사장은 다음 날 의기양양하게 출근합니다. 자신들을 희생시키려 했다는 점을 지적하며 PC가 사장을 비난해도「보너스를 줄 테니까 그걸로 넘어가 주게, 하하하」따위의 대답을 하며 태연하게 굽니다. 회사의 경영 상태는 회복합니다.

PP가 규정된 수치에 도달하지 못한 경우, PC①과 ②는 해고당합니다.

PC①②③이 프라이즈「목돈」을 손에 넣었다면 당연히 며칠 뒤에 체포됩니다. 단, 사장이 실종되었고 아무도 고발할 생각이 없다면 이야기가 다릅니다.

PC④가「목돈」을 입수한 경우, PC①②③ 중 누구도 고발하지 않는다면 도망칠 수 있습니다.

회사명 결정표1 (1D6)			
1	플라잉	4	프리티
2	트러블	5	크림슨
3	블러드	6	봄버

회사명 결정표2 (1D6)			
1	위치즈	4	버드
2	인텔리전스	5	호러
3	캣츠	6	인세인

회사명 결정표 3 (1D6)	
1-3	(株) 주식회사
4-6	(有) 유한회사

야근 장면표 (2D6)	
2	지직……. 갑자기 형광등이 깜빡인다. 전기계통에 이상이 생긴 걸까? 정전은 곤란한데…….
3	똑. 똑. 어딘가에서 물이 떨어지는 소리가 들린다. 비가 새나? 아니면 수도꼭지를 제대로 안 잠갔나?
4	쿠르르…… 촤아아아. 화장실에서 물을 내리는 소리가 들린다. 누가 화장실에 있나? 아니면 다른 층?
5	사이렌 소리가 점점 커지더니 창밖에서 빨간 불빛이 번쩍거린다. 근처에서 무슨 일이라도 생긴 것 같은데…….
6	등 뒤에서 누군가의 말소리가 들린 것 같다. 즉시 돌아봤지만…… 환청이었나?
7	유리창 너머로 보이는 야경을 애달픈 기분으로 바라본다. 빨리 집에 가고 싶어…….
8	갑자기 핸드폰 울린다. 매너 모드로 해뒀을 텐데……. 도대체 누구야?
9	갑작스러운 기계음에 깜짝 놀라 돌아보니 팩스가 종이를 뱉아내고 있다. 이런 시간에 뭐지?
10	입맛을 당기는 냄새가 풍겨서 갑자기 배가 고파졌다. 이 냄새는 어디에서 나는 거야?
11	기분전환으로 시작한 웹 서핑에 몰두하다가 정신을 차리고 보니 몇 분이나 경과……. 이러면 안 되지.
12	꾸벅꾸벅 졸다가 눈을 번뜩 떴다. 황급히 시계를 봤더니…… 으악! 벌써 시간이 이렇게!?

야근 전화표 (1D6)	
1	「어디까지 되었나요?」 의뢰인의 확인 전화. 지금 하고 있어! 전화할 시간도 아깝다고! 스트레스로 위가 아프다. 【생명력】-1.
2	「기준이 바뀌어서……」 의뢰인이 제작 기준 변경을 통보. 지금!? 죽을래!? 모처럼 해둔 작업이 무의미해졌다. PP-1.
3	「최근 전화를 안 받던데…… 괜찮아?」 연인이나 가족 등 소중한 사람의 전화. 바빠 죽겠는데 웬 전화냐고 생각하면서도 기분이 조금 나아졌다. 【이성치】 1 회복.
4	「특상 초밥 5인분 배달해주세요!」 잘못 걸린 전화였다. 사람 놀라게…….
5	「이봐! 지난번 그 일 말인데, 어떻게 된 거야!」 다른 건의 클레임 전화다! 지친 정신에 대미지를 받아 【이성치】-1.
6	「……하면 좋을 텐데.」 전화 너머에서 지옥에서 들려오는 듯한 목소리가 속삭였다. 오싹한 기분에 반사적으로 전화를 끊었다. 착신 이력은 남아 있지 않다. 지금 그거 …… 뭐야!? 《전자기기》로 공포판정.

야근 호러 스케이프 (1D6)

이 호러 스케이프는 PC가 직장에서 야근을 할 때 사용합니다.
장면 플레이어의 PC는 -2의 수정을 적용하여 지정특기로 공포판정을 합니다.

1	《죽음》	창문을 쳐다본 순간, 창밖에서 낙하하는 사람과 눈이 마주쳤다! 서둘러서 창가로 뛰어갔지만, 아래에는 아무것도 없다. 환각이었나……?
2	《기계》	갑자기 복사기가 소리를 내며 종이를 뱉아내기 시작한다. 바닥에 흩어진 복사용지에는 일그러진 사람의 얼굴 같은 것이 인쇄되어 있다. 기분 나빠…….
3	《그늘》	창백한 어린애가 책상 밑에서 당신을 올려다보고 있다. 우악! 하고 소리치며 물러났더니 아이의 모습이 사라졌다.
4	《촉감》	일을 하고 있는데 뒤에서 길고 검은 머리카락이 드리워진다. 여자의 검은 장발이다. ……뒤에서 엿보고 있는 건 도대체 누구지?
5	《걱정》	어두운 얼굴의 남자가 시야 구석에서 지나가는 것이 보였다. 돌아봐도 아무도 없다. 누구야? 난 그런 녀석 몰라.
6	《암흑》	팍! 갑작스러운 정전으로 플로어가 깜깜해졌다. 놀라서 얼굴을 드니 어둠 속에 서 있는 무수한 이들이 가만히 당신을 바라보고 있다……!

Handout

이름	PC①

사명

당신은 프로젝트 리더다. 사장이 맡긴 일을 오늘 밤까지 끝내야만 해서 초조해하고 있다. 당신의【사명】은 일을 끝내는 것이다. 아직 할 일이 많다. 겨우 아르바이트 한 명을 확보했지만, 그래도 턱없이 일손이 부족하다. 긴 밤이 될 것 같다…….

Handout

비밀

쇼크	없음

몇 년간 이 회사에 다닌 당신은 사장실 안에 다른 방이 있다는 것을 알고 있다. 책상 뒤에 문이 숨겨져 있다. 사원이 그 안에서 죽는 바람에 폐쇄했다는 소문도 들었는데, 진상은 모른다.

이 비밀을
스스로 밝힐 수는 없다.

Handout

이름	PC②

사명

당신은 지칠 대로 지친 웹 디자이너이다. 평소에는 야근을 해도 아슬아슬하게 막차를 탈 수 있는 시간에는 퇴근하지만, 오늘 밤은 언제 돌아갈지 알 수 없다. 당신의【사명】은 일을 끝내고 집에 돌아가는 것이다. 아직 할 일이 많다. 긴 밤이 될 것 같다…….

Handout

비밀

쇼크	없음

당신은 이 회사의 사원이지만, 산업 스파이이기도 하다. 이 회사는 과거 몇 번이나 경영 파탄 직전에 몰렸지만, 그때마다 부자연스러운 실적을 올렸다. 당신의【진정한 사명】은 이 회사가 실적을 올리는 수단을 알아내는 것이다.

이 비밀을
스스로 밝힐 수는 없다.

Handout

이름	PC③

사명

당신은 오늘 처음으로 이 회사에 온 아르바이트다. 당신의 【사명】은 일을 끝내고 집에 돌아가는 것이다. 아직 할 일이 많다. 긴 밤이 될 것 같다…….

Handout
비밀

쇼크	전원

당신은 이 회사에서 과거에 몇 명이나 되는 인간이 잔혹한 죽음을 맞이했다는 것을 안다. 왜냐하면, 당신에게는 영이 보이기 때문이다. 그리고 사내에 영 말고도, 무섭고 사악한 존재가 있는 것도 느끼고 있다. 당신의 【진정한 사명】은 살아서 이 회사를 탈출하는 것이다.

이 비밀을
스스로 밝힐 수는 없다.

Handout

이름	PC④

사명

당신은 경비원이다. 경비 장치의 작동을 감지한 경비회사가 파견했다. 장치가 고장이 난 모양이라, 이 회사의 사무실이 문을 잠그는 것까지 확인하고 돌아오라는 명령을 받았다. 당신의 【사명】은 PC①②③의 퇴근을 지켜본 후에 돌아가는 것이다. 긴 밤이 될 것 같다…….

Handout
비밀

쇼크	없음

경비원인 척하고 있지만, 당신은 도둑이다. 만약 금고를 발견한다면 그것이 어떤 것이든 간에 열수 있다. 당신의 【진정한 사명】은 뭐든 돈이 될만한 것(프라이즈)을 최소한 하나 이상 가지고 나가는 것이다.

이 비밀을
스스로 밝힐 수는 없다.

Handout

이름	화장실

개요

화장실. 물이 졸졸 흐르는 소리가 난다.

Handout

비밀

쇼크	없음

급수 탱크 안에 열쇠가 숨겨져 있었다. 어디의 열쇠일까? 코끼리 같은 모양이 새겨져 있다.

프라이즈 「코끼리 열쇠」를 손에 넣는다.

이 비밀을
스스로 밝힐 수는 없다.

Handout

이름	급탕실

개요

냉장고나 전자레인지까지 있는 급탕실.

간식을 먹으면 일의 피로가 좀 풀릴까?

Handout

비밀

쇼크	없음

호러 스케이프.

이 【비밀】의 내용을 본 PC는 「부적」, 「무기」, 「진통제」 중에서 원하는 아이템을 한 사람당 1개씩 입수할 수 있다.

이 비밀을
스스로 밝힐 수는 없다.

Handout

이름	회의실

개요

테이블과 의자, 서류를 꽂는 선반이 있는 방.

손님이 오면 응접실이 된다.

Handout

비밀

쇼크	없음

호러 스케이프.

벽의 선반을 보다가 낡은 파일을 발견했다. 아무래도 사원명부인 것 같은데…….

핸드아웃 「사원명부」를 공개한다.

이 비밀을
스스로 밝힐 수는 없다.

Handout

이름	베란다

개요

이웃 빌딩과 이 건물의 사이에 있는 좁은 베란다.

담배를 피우려면 이곳에서.

Handout

비밀

쇼크	이 장면에 등장한 PC

베란다에서 내려다보니 아래에 펼쳐진 골목에서 검은 그림자가 이쪽을 올려보고 있다. 당신이 알아차린 것을 보고 그림자는 친근하게 손짓을 한다. 제스처를 교환해보니, 당신에게 베란다에서 뛰어내리라고 유혹하고 있다……? 오싹해서 물러나니 혀를 차는 소리가 들렸다.

《협박》으로 공포판정.

이 비밀을
스스로 밝힐 수는 없다.

Handout	
이름	엘리베이터
개요	

바깥으로 나가는 경로. 지금은 움직이지 않는다.

Handout
비밀

쇼크	이 장면에 등장한 PC

시커먼 엘리베이터 샤프트 안을 들여다보고 있는데 등을 떠밀렸다!

아슬아슬하게 버텼지만, 하마터면 죽을 뻔했다. 지금 그거 누구야!?

《매장》으로 공포판정.

이 비밀을
스스로 밝힐 수는 없다.

Handout	
이름	비상계단
개요	

이웃 빌딩과 이 건물의 사이에 있는, 녹이 슬어서 삐걱거리는 계단.

Handout
비밀

쇼크	전원

조금 내려가 보니 놀랍게도 막혀 있다! 비상계단의 중간을 쇠창살로 된 문이 막고 있고, 철저하게도 철조망까지 꼼꼼하게 둘러졌다. 편집적인 무언가를 느끼고 등골이 오싹해진다. 침입을 막는다기보다는 탈출할 수 없게 하기 위한 것이라는 인상을 받는다……. 공구가 없다면 이곳을 지나갈 수 없다.

《찌르기》로 공포판정.

이 비밀을
스스로 밝힐 수는 없다.

Handout

이름	사장실

개요

사장의 책상과 의자, 책장, 금고가 있는 방. 아까 들린 커다란 소리가 거짓말이었던 것처럼 조용하다. 어디에서 들린 소리지?

Handout
비밀

쇼크	없음

사장의 책상 서랍에서 일기를 발견한다.

핸드아웃 「사장의 일기」를 공개한다.

이 비밀을
스스로 밝힐 수는 없다.

Handout

이름	사원명부

개요

창설 이래 10년간의 사원과 아르바이트의 명부.

Handout
비밀

쇼크	없음

빨간 X표를 친 이름이 몇 개 있다. 퇴직자…… 는 아닌 것 같다. 가장 오래된 X표가 그어진 이름은 사장과 함께 이 회사를 세운 공동 창설자다. 그것 말고도 간헐적으로 X표가 그어진 이름이 있다. 기묘하게도 가장 최근에 X표가 그어진 것은 PC①과 ②의 이름이다.

이 비밀을
스스로 밝힐 수는 없다.

Handout

이름	사장의 일기

개요

대대로 사장의 집에 전해졌다는 「챠구나루묘진」에 대한 신앙이 기록되어 있다.

Handout

비밀

쇼크	전원

「회사가 기울 때마다 제물을 바치고 기도했더니 구원받았다. 8년 전에 공동 창설자를 바친 것이 최초다. 그 덕분에 회사는 회복했다. 그 후에도 몇 명인가 바쳤고, 그때마다 회사는 다시 일어섰다. 하지만 이번에는 정말로 위험하다. 도산 위기다. 한 명으로는 부족할지도 모른다. 만약을 위해서 여러 명을 한꺼번에 바치자……」 챠구나루묘진은 「안쪽의 방」에 있는 모양이다. 거기가 어디지? 《마술》로 공포판정.

이 비밀을 스스로 밝힐 수는 없다.

Handout

이름	코끼리 열쇠

개요

프라이즈. 코끼리 같은 모양이 조각된 낡은 열쇠.

Handout

비밀

쇼크	없음

특별히 이상한 점은 없다. 잘 닦아주면 골동품으로서는 약간 가치가 있을지도…….

이 비밀을 스스로 밝힐 수는 없다.

Handout

이름	신상

개요

프라이즈. 머리는 코끼리, 몸은 인간인 조각상. 거친 조형이긴 하지만 괴상한 매력이 느껴진다.

Handout

비밀

쇼크	전원

신상을 손에 든 순간, 어떤 목소리가 머릿속에 말을 건다. 「제물을 바치면 소원을 들어주마. 제물 한 명당 소원 하나다…….」

《암흑》으로 공포판정.

신상에 소원을 빌 생각이라면 GM에게 그것이 가능한지를 물어보라.

이 비밀을 스스로 밝힐 수는 없다.

Handout

이름	목돈

개요

프라이즈. 상당한 금액의 돈다발이다. 이것만 있으면 한동안 놀고먹을 수 있을 것 같다. 악착같이 일할 필요도 없다…….

Handout

비밀

쇼크	없음

특별히 이상한 점은 없다. 돈은 돈이다.

이 비밀을 스스로 밝힐 수는 없다.

>>광기 리스트

이름	페이지	트리거	월드 세팅	장 수
의심암귀	기본p216	같은 장면에 등장한 당신 이외의 캐릭터가 펌블을 발생시켰다.		장
확산하는 공포	기본p216	같은 장면의 누군가(당신도 포함)가 펌블을 발생시켰다.		장
의존	기본p216	당신이 「진통제」를 사용한다		장
소외감	기본p216	같은 장면에 당신 이외의 PC가 등장하지 않았다		장
거동수상	기본p217	당신이 괴이에게 대미지를 입는다.		장
맹목	기본p217	당신이 공포판정을 한다.		장
말을 잃다	기본p217	누군가가 당신에 대한 마이너스 【감정】을 획득한다.		장
패닉	기본p217	당신이 대미지를 입는다.		장
도를 넘어선 마음	기본p218	당신이 누군가에 대해 【감정】을 획득한다.		장
피에 대한 갈망	기본p218	당신이 누군가에게 대미지를 입힌다.		장
페티시	기본p218	당신이 감정판정의 목표가 된다.		장
절규	기본p218	당신이 공포판정에 실패한다.		장
괴물	기본p219	당신이 펌블을 발생시킨다.		장
이질적인 언어	기본p219	당신이 감정판정의 목표가 된다.		장
기억상실	기본p219	당신의 【이성치】가 감소한다.		장
현실도피	기본p219	당신의 【이성치】가 감소한다.		장
어둠의 축복	기본p220	당신이 공포판정에 실패한다.		장
다중인격	기본p220	당신의 【이성치】가 감소한다.		장
결벽	기본p220	당신이 감정판정의 목표가 된다.		장
공포증	기본p220	당신이 공포판정에 실패한다.		장
실종	기본p221	당신이 판정에 펌블을 발생시킨다. 또는 당신이 전투에서 패자가 된다.		장
이성에 대한 공포	기본p221	그 장면에서 당신이 이성 캐릭터와 단둘이 된다.		장
폭력충동	기본p221	당신과 같은 장면에 있는 캐릭터(당신도 포함)가 대미지를 입는다.		장
광신자	기본p221	누군가가 당신에 대한 마이너스 【감정】을 획득한다.		장
초현실주의	기본p261	당신이 공포판정에 성공한다.	사실은 무서운 현대 일본	장
음모론	기본p261	당신이 조사판정의 목표가 된다.	사실은 무서운 현대 일본	장

이름	페이지	트리거	월드 세팅	장 수
만용	기본p266	당신이 전투에 승리한다.	광란의 20년대	장
구세대	기본p266	같은 장면의 누군가(당신도 포함)가 펌블을 발생시킨다.	광란의 20년대	장
흡혈귀 망상	기본p271	당신과 같은 장면에 있는 당신 이외의 캐릭터가 대미지를 입는다.	빅토리아의 어둠	장
미신	기본p271	당신이 괴이에 관련된 공포판정을 한다.	빅토리아의 어둠	장
연상되는 공포	p177	당신이 누군가에게 1점 이상의 대미지를 입는다.		장
일그러진 마음	p177	누군가가 당신을 목표로 조사판정을 해서【비밀】이나【정신상태】를 획득한다.		장
왜 나만?	p177	당신의【생명력】이나【이성치】가 1점 이상 감소한다.		장
예지몽	p177	사이클이 끝난다.		장
불길한 숫자	p178	같은 장면에 등장한 누군가(당신 포함)가 판정에서 굴린 주사위 눈에 4가 포함되어 있다.		장
과대망상	p178	당신 이외의 누군가가 아이템이나 프라이즈를 획득한다.		장
빙의	p178	당신의 판정에 스페셜이나 펌블이 발생한다.		장
우행	p178	같은 장면에 등장한 당신 이외의 누군가에 대해 다른 누군가가 플러스【감정】을 가진다.		장
기묘한 욕구	p179	누군가가 당신을 목표로 감정판정을 한다.		장
짜증	p179	같은 장면의 누군가(당신도 포함)가 판정에 실패한다.		장
폭로	p179	당신에 대해 누군가가 플러스【감정】을 획득했다.		장
적이냐 아군이냐	p179	당신이 대미지를 입는다.		장
기시감	p211	당신이 감정판정에 성공한다.	반복되는 참극	장
망향	p211	쇼크로 인해 당신의【이성치】가 감소한다.	반복되는 참극	장
허무감	p211	당신의【생명력】이 감소한다.	반복되는 참극	장
미시감	p211	당신의【이성치】가 감소한다.	반복되는 참극	장

색인

ㅎ

후기

이 책을 읽어주셔서 감사합니다.

모험기획국의 魚蹴입니다. 우오케리라고 읽습니다.

이 책은 사이코로 픽션 시리즈 제7탄 『멀티장르 호러TRPG 인세인』의 속편입니다.

앞 권에 수록된 리플레이 「산의 공장」은 읽은 분들이 무섭다고 연호해주셔서 「무서운 리플레이」를 쓰고 싶었던 저로서는 정말 기뻤습니다. 이번에 수록한 리플레이 「네 명의 손님」은 맥락 없이 기분 나쁜 사건이 연달아 일어나는 불길한 이야기로 해봤습니다. 재미있게 읽어주시기 바랍니다.

이 책은 게임 디자이너 그룹인 모험기획국이 집필, 디자인했습니다. 게임 디자인과 규칙 파트, 시나리오 「빌라 아넬로」의 집필을 카와시마 토이치로가, 리플레이 파트와 시나리오 후크, 호러 스케이프, 아기타 시 가이드, 시나리오 「야근」의 집필을 우오케리가 했습니다. 또, 지면(紙面) 디자인은 모험기획국을 보이지 않는 곳에서 지탱해주는 최강의 디자인 팀이 맡았습니다.

앞 권에 이어 표지 일러스트는 아오키 쿠니오 선생님에게, 리플레이 일러스트는 coco 선생님에게 부탁했습니다. 두 분의 그림은 느낌이 전혀 다름에도 불구하고, 한 권의 책이 만들어졌을 때 희한할 정도로 잘 조화된다는 점이 재미있습니다.

게임 말 일러스트는 사이코로 픽션에서는 빼놓을 수 없는 인재인 모험기획국의 오치아이 나고미, 아기타 시의 지도는 스자키 신페이가 그렸습니다. 오치아이는 리플레이에서 류노스케를 연기한 「파선생」으로도 참가했습니다.

미노리, 마아야, 타마코 또한 모험기획국의 여성진이 플레이어를 맡았습니다.

그 밖에도 주석 집필, 테스트 플레이 등 다양한 측면에서 모험기획국 멤버들이 도움을 줬습니다.

그리고, 서적이나 인터넷으로 수많은 실화괴담을 전해주신 그 화자, 필자, 서술자 여러분에게도 진심으로 존경과 감사를 전하고 싶습니다. 지금까지 수도 없이 읽어온 괴담이야말로 『인세인』의 시나리오나 리플레이를 쓰는 원동력이 되었음을 실감하고 있습니다.

여러분, 정말로 감사합니다.

또, 『인세인』의 기본 규칙으로는 카와시마 토이치로가 제작한 범용 테이블 토크 RPG 시스템 「사이코로 픽션」을 사용합니다.

이 시리즈와 작품은 모두 리플레이와 규칙이 한 권에 수록된 일거양득의 책들입니다. 앞서 낸 작품으로는 『이웃의 메르헨 TRPG 피카부』, 『현대 인술배틀 TRPG 시노비가미』, 『호러 액션 TRPG 헌터즈 문』, 『마도서대전 RPG 마기카로기아』, 『뱀파이어 헌트 TRPG 블러드 크루세이드』, 『초차원 카드배틀 TRPG 카드 랭커』, 『리얼리티 쇼 TRPG 킬 데스 비즈니스』, 『호러 액션 RPG 블러드 문』(이상, 신기원사), 『함대 콜렉션-칸코레-칸코레 TRPG 착임의 서』(KADOKAWA)가 있습니다.

아직 읽어보지 않으신 분은 부디 다른 게임도 플레이해보시길 바랍니다.

2014년 8월　장소 비밀

우오케리

역자 후기

다시 뵙게 되어 반갑습니다. 인세인 2권 번역을 맡은 유범입니다.

인세인의 두 번째 책인 이번 「데드 루프」에는 각종 규칙과 데이터가 추가되었습니다. 재미있는 아이디어가 많았는데, 저는 호러 스케이프가 특히 마음에 들었습니다. 잘만 사용하면 분위기를 관리하기에 참 좋은 도구이기 때문입니다. 상상력을 자극하기에도 좋구요. 제 경우에는 인세인 2권을 번역할 때 주로 새벽에 작업했는데, 평소에도 그리 좋지도 않은 상상력이 이거 작업하는 동안은 참 열심히 활약해주더군요. 덕분에 작업하면서 별생각을 다 했던 것 같습니다.

하지만 제목이 제목인 만큼 2권에서 가장 눈길을 끄는 내용이 역시 루프물을 지원한다는 부분이겠지요. 제 경우 인세인으로 캠페인을 해본 적이 있긴 합니다만, 루프물은 한 번도 안 해봐서 이걸 읽고 나서야 "한 번 해볼까?"라는 생각이 들었습니다. 같이 언급된 평행세계도 함께 사용하기에 좋은 소재인 것 같고요. 루프를 거듭하는 동안 자신과 이름이 같은 상대를 만났는데, 알고 보니 그게 자기 자신이었다거나…… 나중에 여유가 생기면 실제로 팀에서 돌려볼 생각인데, 재미있게 전개되면 좋겠네요.

그러고 보면 제 이름은 그리 흔한 편이 아니라서 지금까지 한 번도 동명이인을 본 적이 없었는데, 얼마 전에 인터넷에서 한 분 봤네요. 그리고 바로 다음 날 제 닉네임이랑 똑같은 닉네임을 쓰시는 분을 봤고…… 바로 그 그다음 날 이 책의 마무리 작업을 하려고 보니 편집 보조를 맡으신 분이 제 가족과 같은 이름을…… 같은 이름이야 얼마든지 있을 수 있지만, 이 절묘한 타이밍은 대체 뭘까요……?

멀티 장르 호러 TRPG

인세인 2

한국어판

멀티 장르 호러 TRPG 인세인2
데드루프

2018년 01월 17일 초판 인쇄
2019년 01월 27일 초판 2쇄 발행

원제   マルチジャンル・ホラーRPG インセイン2
         デッドループ
저자   카와시마 토이치로 / 모험기획국
역자   유범

한국어판 제작
편집   곽건민(이그니시스), 유민
교정   곽건민(이그니시스), 유범, 김효경, 정재민, 김규민,유민
발행   TRPG Club

이 책의 내용은 픽션이며, 등장 인물과 단체명, 지역 등은 작품 내의
설정입니다.
실제 인물과 단체, 지명과는 아무 관계도 없습니다.

이 작품은 저작권법에 의해 보호를 받는 작품이며 본사의 허가 없이
복제 및 스캔 등을 이용한 온·오프라인의 무단 전재와 유포 및 공유를
금합니다.

파본 및 불량은 구매처에 문의하시기 바랍니다.
정가는 표지에 표시되어 있습니다.

ISBN   979-11-88546-03-9

저작권 등의 표시:
©河嶋陶一朗/冒険企画局